La nuit appartient aux amants

GIUSEPPE DI PIAZZA

La nuit appartient aux amants

Traduit de l'italien par
LAURA BRIGNON

Titre original:
MALANOTTATA

Cette œuvre est une œuvre de fiction. Les noms propres, les personnages, les lieux, les intrigues, sont soit le fruit de l'imagination de l'auteur, soit utilisés dans le cadre d'une œuvre de fiction. Toute ressemblance avec des personnes réelles, vivantes ou décédées, des entreprises, des événements ou des lieux, serait une pure coïncidence.

HARPERCOLLINS FRANCE
83-85, boulevard Vincent-Auriol, 75646 PARIS CEDEX 13
Tél. : 01 42 16 63 63

www.harpercollins.fr

ISBN 979-1-0339-0206-5 — ISSN 2551-0096

Rendus amers par les iniquités de la justice d'État,
les Siciliens développèrent leur propre sens de la justice.

JOSEPH BONANNO, *Un Homme d'Honneur*

Can't hurt you now
Can't hurt you now
Because the night belongs to lovers
Because the night belongs to lust

PATTI SMITH, « Because the night »

Palerme, août 1984

— On ne peut pas être amoureux d'une pute.
— Qu'est-ce que t'en sais ?
— Je le sais.
— C'est un préjugé.
— Elle te parle d'amour parce que tu la payes. C'est pas un préjugé, c'est une certitude.
— Pas Veruschka, elle n'était pas comme ça.
— N'importe quoi, dit Serena en levant les yeux au ciel.
— Elle, elle était vraiment amoureuse, essayé-je de me défendre.
— C'est quoi ce délire ? Tu es pathétique.
— Arrête d'être aussi catégorique, Serena.
— Pourtant, la catégorie crétins, ça existe...
— Tu penses que j'en fais partie ?
— Disons que tu te racontes des histoires. Nous les femmes, on vous balade autant que ça nous chante, et on peut même vous rendre débiles.
— C'est comme ça que tu me vois ? Un débile qu'on balade ? Alors ça ! Heureusement qu'on sort pas ensemble.
— J'ai pas dit ça.
— Quoi alors ?
— Que vous êtes très simples, peut-être un peu trop.
— Tu parles des hommes ?
— Ben oui.
— Et vous les femmes vous êtes les reines de la subtilité et de la pensée profonde, c'est ça ?
— Je te donne un exemple, Leo : quand on a la possibilité, rien que la possibilité, de coucher avec quelqu'un, on se pose plein de questions. Est-ce qu'on fait le bon choix ou pas ? Est-ce que ça a du sens ? Est-ce que cette histoire va durer ?

— Et nous ?

— Les hommes se posent une seule question : à quelle heure ?

Je souris. Elle se trompe sur Veruschka, mais pas sur nous. Ce nous comprend Fabrizio, mon meilleur ami et colocataire, mon collègue Filippo et presque tous les autres. Serena me sourit en retour, et la tension qui était montée pendant notre discussion retombe. Elle va à la cuisine, revient avec une pêche, puis se met à feuilleter *Il Giornale di Sicilia*.

Mon opinion reste la même : j'ai vu les yeux hagards des « veufs » de Veruschka. Comment un quinquagénaire peut-il se retrouver au bord du gouffre d'un amour voué à l'échec, et pour une entraîneuse, en plus ? Quelles vies ont eues mon « tonton » et le galeriste ? Qu'est-ce qui leur a manqué ? Rien, autant que je sache. Est-ce qu'ils ont choisi de tomber amoureux ? Non, on ne choisit jamais. Ils ont juste emprunté la voie la plus simple. Une voie qui avait l'air sans embûches : de l'argent contre du sexe. Aucun engagement, durée et modalités définies par un accord aussi vieux que l'humanité. Mais ensuite le tracé linéaire du sexe tarifé est devenu un tableau abstrait, un Pollock de sentiments ingérables. Ils sont tombés amoureux presque en même temps d'une Tchécoslovaque qui vouait une adoration à la chanteuse Raffaella Carrà. D'une fille qui n'imposait pas de limites à sa vie, et pour cause : elle ne les voyait pas. Peut-être parce que pendant ses premières années elle s'était heurtée aux limites imposées par le socialisme réel, une organisation du monde et des hommes qui, pour une adolescente, devait sembler la chose la plus irréelle et incompréhensible jamais inventée par des gouvernants sans cœur. C'est pour cette raison que Veruschka était venue en Italie, pour cette raison sans doute que ces deux hommes en sont tombés amoureux. Et que le sang a coulé.

Cinq mois auparavant

LILLI FRISSONNA.

— Tu veux que je meure de froid ?

— C'est bon, je ferme la fenêtre.

— Je gèle, ajouta-t-elle en plissant les yeux.

— Tu sais, c'est presque le printemps.

— Tu es impitoyable, Leo.

— Il fait 17 degrés, lui fis-je remarquer, et j'indiquai le thermomètre à mercure accroché à côté d'une lithographie cubiste d'Arroyo représentant un policier franquiste en train d'arrêter un ouvrier communiste.

Cicova nous regardait tous les deux assis sur le canapé avec un intérêt démesuré de la part d'un chat, même si on avait été des boîtes de pâtée.

— Alors réchauffe-moi, me demanda Lilli.

— Bien sûr, ma chérie.

Je la pris dans mes bras avec peu de force mais beaucoup de chaleur.

— Il est 8 h 30, on les attend ou j'attaque la cuisine ?

Elle me serra contre elle et me susurra quatre mots : « *pasta ca muddica atturrata* », pâtes à la chapelure. La seconde suivante, ses lèvres se posaient sur ma bouche que j'entrouvrais pour dire quelque chose. Je ne sais plus si c'était : « J'y cours, ma chérie. » Ou, simplement : « D'accord. » Je lui souris, me levai, vérifiai que la fenêtre était bien fermée, lui servis un verre de Corvo Rosso et, suivi par Cicova la queue dressée comme un étendard, j'allai m'affairer aux fourneaux.

Mon ami Fabrizio et Serena, sa petite copine à la beauté exaspérante, rentrèrent à 9 heures. Serena était milanaise, mais elle logeait chez nous par intermittence pour ses recherches sur le baroque sicilien, son sujet de thèse. Elle passait ses journées entre les sculptures en stuc de Serpotta et les musées. Le reste du temps, elle l'employait à aimer mon meilleur copain. Et à me provoquer.

Fabrizio, lui, se préparait à hériter de l'entreprise familiale, ce qui l'obligeait à étudier des matières dont il se fichait éperdument : gestion d'entreprise, budget, comptabilité. Il marmonna un bonsoir tandis que Serena pivotait sur elle-même pour m'adresser un « salut, le journaliste » rieur, sans un regard pour Lilli. À part ça, le dîner fut joyeux.

Mon réveil, beaucoup moins.

Le téléphone Grillo posé à côté de mon lit sonna sans pitié à une heure où la seule lumière qui filtrait à travers les persiennes était l'éclat jaunâtre du réverbère du coin de la rue.

— Qui est-ce ? répondis-je, la voix ensommeillée, en allumant la lampe de chevet.

— *Arruspigghiati*, Sansommeil ! C'est Saro. Le chef veut te voir.

— Qu'est-ce qui s'est passé ?

Le radio-réveil indiquait 6.17. La voix du gardien-standardiste, et chargé de sécurité à ses heures perdues, était pâteuse, un mélange de glaires et de cigarettes. J'avais l'impression de sentir des relents de tabac froid à travers le combiné.

— On a retrouvé une fille défigurée, dit-il.

— Tu ne pouvais pas appeler Di Natale ?

— Il est en congé à partir d'aujourd'hui pour son mariage. Le chef dit que c'est sûrement un gros dossier. Il faut que tu y ailles illico.

Je regardai Lilli à mon côté, couchée en position fœtale. Elle émit un léger grognement, puis tira les couvertures sur sa tête.

— Bien. Donne-moi l'adresse.

— Viale delle Magnolie.

— Le numéro ?

— *Un lu saccio*, j'en sais rien, Sansommeil. Il paraît que c'est à l'angle de la via Lombardia.

Je le notai mentalement.

— On sait qui c'est, la fille ?

— Non, mon petit.

— OK, merci, Saro. Et remercie aussi Di Natale de ma part, quand tu le verras.

— Ne le prends pas comme ça !

— Puisque c'est ça, moi aussi je vais me marier.

— Oh ! la foutue *malagiornata* qui commence…, conclut le gardien, d'une voix plutôt résignée.

Sale journée, en effet. Je me glissai hors du lit le plus discrètement possible.

Ils avaient raison de m'appeler Sansommeil : je ne dormais pas assez. J'arrivais toujours à la rédaction les yeux vitreux et la voix rauque. Mon visage d'à peine plus de vingt ans était marqué par les nuits trop courtes, dont attestaient mes cernes dignes des plus grands acteurs français de l'époque. Une rue proche de ma rue natale portait le nom d'un de mes ancêtres, qui était aussi le mien : Salinas. Mais être parent avec une rue du nouveau centre de Palerme ne me servait à rien et personne n'en avait rien à faire. J'allais au travail le matin à 7 heures, comme tout le monde. Avec des yeux pochés. À 14 heures, notre quotidien imprimé au sous-sol d'un petit immeuble en centre-ville, à deux pas du seul gratte-ciel de Palerme, était déjà dans les kiosques et vendu en même temps que des cageots de kakis et de fenouil aux feux rouges de cette ville asphyxiée par le trafic et surtout les trafics.

Je ne dormais vraiment pas assez. Sans prendre la peine de trouver des habits propres, je renfilai ceux de la veille : une chemise en jean, un Wrangler bleu nuit, un pull gris en mérinos à col V. Dans l'entrée, j'attrapai mon blouson en toile bleu, mes Ray-Ban et les clés du scooter. Mon carnet, mes cigarettes et mon portefeuille étaient déjà dans les poches de la veste. Ma panoplie de jeune journaliste était parfaite.

Je fis démarrer ma Vespa 125 GTR et pris la direction des quartiers résidentiels dans la lueur blanche du petit matin. À la recherche d'une fille défigurée.

DEUX POLICIERS discutaient à voix basse à côté d'une Alfetta bicolore au gyrophare allumé. J'étais la première personne sans uniforme qui arrivait sur la scène du crime. Une scène qui semblait vide. Le flanc de la voiture portait l'inscription « police judiciaire », suivie d'un numéro qui couvrait la moitié de la portière : 113. Le policier le plus âgé s'interrompit pour me toiser de la tête aux pieds tandis que je mettais le scooter sur béquille. Ignazio Scardina avait une quarantaine d'années et sa bedaine semblait implorer qu'on la libère de l'uniforme ajusté. On se connaissait bien et on ne s'était jamais beaucoup appréciés. En amour comme dans le journalisme, la réciprocité est fille du hasard : pas la peine d'insister. J'en eus la confirmation au bout de quelques secondes.

— Eh bien ? me demanda-t-il d'un ton brusque.

— Bonjour à vous, monsieur Scardina.

— Tu parles d'un bon jour.

— Vous pourriez me dire ce qui s'est passé ? On m'a parlé d'une fille défigurée. Je ne vois rien, ici...

— C'est normal. Il n'y a rien à voir.

— C'était une fausse information, alors ?

L'autre agent, à peu près de mon âge, réagit instinctivement :

— Ah non, c'était une vraie ! Vous auriez dû voir dans quel état elle était...

Scardina le foudroya du regard.

— Où est la fille, maintenant ?

— À l'hôpital.

— Quel hôpital ?

— Un hôpital.

— *Amunì*, allez, s'il vous plaît...

Scardina décida de se rendre, ou en tout cas de se débarrasser de moi :

— Elle est à Camilliano, fit-il en remontant le col de son uniforme.

Je réfléchis. Je n'étais pas plus avancé. Au début des années 1980, l'hôpital le plus grand et le plus chaotique de Sicile avait la taille d'une ville moyenne dotée d'un pseudo-gouvernement, un lieu où régnait à certaines périodes une anarchie paramafieuse. Les parrains y faisaient la loi, intimidant, voire tuant les médecins si nécessaire. L'hôpital avait été pendant des années une sorte d'annexe de la prison de l'Ucciardone, que les parrains surnommaient « Grand Hôtel Ucciardone » en raison de la quantité de services dont ils bénéficiaient. Cependant, rien ne valait le confort de l'hôpital Camilliano, qu'ils considéraient comme un lieu de villégiature. Littéralement, son nom entier était « hôpital Saint-Camille et Frères saint Jean de Dieu ». À l'époque où la mafia avait tous les pouvoirs, il aurait été plus juste de l'appeler « saint Jean Mafieux ».

— Je fais comment pour trouver la fille défigurée à Camilliano ? Vous l'avez identifiée ?

Pour la deuxième fois, la spontanéité l'emporta chez l'agent le plus jeune :

— *Avoglia !* Un peu, qu'on l'a identifiée ! C'est Veruschka !

Je pensai aussitôt à la top model filiforme que j'avais vue récemment dans un film où, entre deux petits cris et deux minauderies, elle se faisait prendre en photo par le personnage principal, un photographe londonien.

— Qui, le mannequin ?

Les deux agents éclatèrent de rire : vu mon ingénuité, Scardina avait pardonné le nouvel élan de sincérité de son collègue. Au moins, ce dernier ne se ferait pas botter le cul ce matin-là parce qu'il m'avait aidé.

— Qu'est-ce que tu racontes ? Tu sais vraiment pas qui c'est, Veruschka ? me demanda le jeune agent de la police judiciaire.

— Non, sans rire.

— C'est une *buttana* de luxe. Le top de la pute de luxe à Palerme, m'expliqua-t-il.

— On voit bien que tu es un gamin qui ne s'intéresse pas encore au sujet, ajouta Scardina, peut-être un peu envieux.

Ils me montrèrent l'endroit où on l'avait trouvée. Je les remerciai.

— Ce n'est pas par ici que la voiture de Mauro De Mauro avait été retrouvée ?

— Quel est le rapport ? rétorqua l'agent Scardina.

— Non, rien, une coïncidence.

Le journaliste De Mauro, disparu quatorze ans auparavant, n'avait jamais refait surface. Dans le métier, les jeunes comme les moins jeunes savaient qu'il avait été *fatto scomparso*, enlevé par la mafia. Le mystère qui entourait cet enlèvement s'était épaissi au cours du temps. On racontait qu'on l'avait fait taire parce qu'il connaissait la vérité sur la mort d'Enrico Mattei, dont on avait fait exploser l'avion en plein vol pour le remercier d'avoir apporté l'essence aux Italiens. Un mystère dans le mystère, sur lequel De Mauro en savait tant que le célèbre réalisateur Francesco Rosi l'avait fait participer à l'écriture de son film-vérité intitulé *L'Affaire Mattei*. Par la suite, la disparition de De Mauro avait complexifié l'affaire, plombée par le silence mafieux. Pas une rumeur, pas une piste. Le mystère avait commencé en septembre 1970, à quelques pas de l'endroit d'où je scrutais les magnolias, les portes, les voitures garées et les deux policiers à la recherche de traces, d'indices, d'intuitions. Le néant à la palermitaine.

— Vous l'avez vue ?

— Oui, elle était salement amochée, *una schifìa*, un vrai désastre, répondit le plus jeune.

— Une *schifìa* comment ?

— Visage bouffé par l'acide. Mais pas seulement, ils ont dû s'acharner sur elle. On l'a trouvée évanouie, balancée sur le trottoir. Là où il y a des taches de sang.

Deux traînées marron s'étendaient à côté d'un tas désordonné de feuilles tombées des magnolias. L'une très grande et l'autre toute petite. On aurait dit la Sicile et Ustica. Des îles de douleur sur une mer de béton : *Mafia tour*, le rêve à portée de main.

Dix minutes après, Filippo Lombardo, un photographe du journal, descendit de sa Guzzi V7 Special pour se joindre à nous. Quand il la chevauchait, on aurait dit Gary Cooper sur son appaloosa quelque part entre le Texas et le Nouveau-Mexique.

À dix-huit ans, Filippo avait été un champion d'arts martiaux, beau comme un dieu avec ses biceps et ses abdos qui frôlaient la perfection. Son ouverture d'esprit, son humour, typique du Palerme déshérité, moins pessimiste et moins amer que le Palerme des héritiers, lui avait toujours assuré un succès compréhensible auprès des filles. Grâce à son histoire éphémère avec la cousine d'un chroniqueur qui travaillait pour le même journal que moi et l'avait introduit à la rédaction, il était passé en deux mois des arts martiaux à la photo de faits divers, aussi rapide et précis pour cadrer et mettre au point que pour frapper ses adversaires. Un type foudroyant, Filippo.

Il retira ses Ray-Ban, me donna une bourrade et, après avoir sorti son Nikon de la sacoche en toile beige qu'il portait en bandoulière, il vérifia que la pellicule était bien tendue en faisant tourner la molette sur le boîtier. Un réflexe que lui avait appris sa chef, une femme qui deviendrait bientôt une légende du photojournalisme mondial grâce à son travail stupéfiant sur les meurtres mafieux. Puis il salua les policiers d'un ton moqueur : « Salut, mes poulets ! » sans obtenir l'ombre d'un sourire en retour. Il prit deux photos de la porte d'entrée. J'insistai pour qu'il prenne aussi les taches sur le trottoir. Quand il me demanda pourquoi, je lui dis qu'elles pourraient nous dépanner, vu que le journal n'avait pas grand-chose à montrer pour le moment. Pour finir, les agents de police posèrent à côté de leur voiture. Scardina jura en esquissant un semblant de sourire, et Filippo fit deux autres clichés. La routine.

Filippo repartit au journal pour déposer la pellicule tandis que je m'acheminais vers l'hôpital. Il était un peu plus de 8 heures. Palerme se réveillait, la main droite sur le klaxon.

Appartement de Veruschka, 18 h 45

Elle jeta un regard à la pendule : il était encore tôt. De l'autre côté de sa fenêtre, Palerme n'était qu'un vent léger qui agitait le feuillage du magnolia. Cet arbre était si vigoureux que ses racines avaient soulevé le trottoir. Tous les soirs en rentrant, elle devait veiller à ne pas coincer ses hauts talons dans les fissures du bitume, si disjoint qu'il en fallait peu pour se faire une entorse. Elle avançait donc à pas prudents dans l'obscurité que seul un pâle réverbère avait la prétention d'éclairer.

Le cadran affichait 18 h 45 : elle avait encore cinq heures devant elle avant de commencer à travailler. Le temps d'écouter la radio, de se laver, d'essayer la robe mauve qu'elle était allée chercher au pressing. Elle pourrait aussi écrire quelques phrases dans son journal, manger un bout et boire un verre avec le gentil garçon.

Il fallait aussi qu'elle décide quoi faire avec l'autre garçon, le grand qui voulait devenir avocat. C'était un beau jeune homme aux yeux très sombres sous ses sourcils denses. Il était stagiaire dans un cabinet d'avocats depuis un an, et avait une décapotable, cadeau de ses parents pour son diplôme. Lorsque, quelques jours auparavant, il l'avait emmenée manger une glace, elle avait cru un instant qu'elle menait une vie normale. Au fond, Vera se sentait normale. Elle voulait vivre normalement. Elle récapitula ce qui lui plaisait le plus : la musique, bien manger, tenir son journal, être caressée avec douceur. Et, chacun à sa manière, le *gentil garçon* et le *garçon qui voulait devenir avocat* lui plaisaient aussi. C'est ainsi qu'elle les nommait dans son journal. Elle racontait tout. Elle écrivait pour fixer à jamais les impressions que lui procurait cette vie si différente de celle qu'elle avait connue à Prague.

Le garçon qui voulait devenir avocat avait vingt-cinq ans et se disait célibataire. Elle n'y croyait pas trop : tout le monde a une copine, ici à Palerme. Même si certains ne le savent pas... Elle rit toute seule et s'empara de son journal, comme en proie à une envie soudaine d'écrire, puis elle regarda autour d'elle. Peut-être que d'abord il était préférable de faire un peu de rangement.

Son appartement se composait d'une chambre avec dressing, d'une salle de bains avec toilettes, d'un salon avec une cuisine à l'américaine, et d'un petit balcon où elle faisait pousser du basilic, de la menthe et un pied de frangipanier qui tendait sa longue tige étrange, indubitablement exotique avec sa coiffe formée de quatre feuilles. Quand il le lui avait offert, le gentil garçon lui avait dit qu'il fleurirait pendant l'été : très peu de fleurs, mais odorantes, veinées de jaune, de bleu ou de rose.

— Maintenant que tu es palermitaine, tu dois avoir un pied de frangipanier sur ta terrasse.

Selon elle, cette phrase contenait deux erreurs évidentes : son balcon n'était sûrement pas une terrasse et, venant de Prague, elle ne serait jamais une vraie Palermitaine.

Elle observa le frangipanier et remit à plus tard l'arrosage des plantes. Peut-être avant de prendre sa douche. Elle alluma sa radio Philips posée sur son meuble à tout faire en teck, qui lui servait de buffet, desserte, placard et bibliothèque. Son propriétaire le lui avait donné « pour dépanner ». Elle chercha la fréquence de Radio Palermo Centrale, 100,5 MHz. Depuis qu'elle était arrivée en ville, plus d'un an auparavant, elle n'écoutait que cette station ; la programmation lui plaisait : Duran Duran, U2, REM, des groupes qu'elle ne pouvait écouter qu'en cachette dans son pays, et encore fallait-il que quelqu'un ait pris le risque de rapporter des vinyles de l'étranger. La chanson diffusée à ce moment-là lui serra le cœur. Elle la reconnut, ils la passaient souvent. Elle savait qu'elle parlait de Roméo et Juliette. Elle avait toujours associé cette chanson dont elle ne comprenait pas les paroles à la couleur bleue. Couleur qui, du turquoise pâle au cobalt, était pour elle davantage synonyme de tristesse que d'élégance. Elle chassa une mèche de cheveux de son visage et jeta un regard furtif au miroir. Elle sourit. Son geste avait aussi chassé sa mélancolie. Il suffisait d'un rien.

Le disc-jockey annonça le morceau suivant, « une voix qui a galvanisé le public de Sanremo », avant de continuer, plein d'entrain : « Fiordaliso, "Non voglio mica la luna". » Elle préférait de loin cette chanson à la précédente, qui la rendait chagrine. Moi non plus je ne demande pas la lune, pensa-t-elle. *Je demande juste à vivre ici comme vous, avec vous, avec votre liberté.* Son passeport, c'était ce corps parfait, cette jeune femme merveilleuse dont elle admirait le reflet dans le miroir de l'armoire : Vera Něměček, Veruschka pour ceux qui en avaient les moyens. Elle était aussi belle que la mer tiède sur un corps nu par une aube d'été à Marinalonga.

Avant de gagner le bureau des entrées, je m'arrêtai à une cabine téléphonique. J'avais toujours quelques jetons en poche. Je composai le numéro du commissariat, demandai à parler au chef de la police judiciaire, Antonio Gualtieri, un Turinois bourru animé par une grande passion : la Juventus, qui occupait plus de place dans son cœur que le ministère de l'Intérieur.

— Qu'est-ce que t'as ? Une insomnie ?

— Bonjour, monsieur. J'aurais dormi volontiers sans cette histoire de fille défigurée.

— Et donc ?

— Vos agents m'ont dit qu'on l'a emmenée à Camilliano dans un état critique. Vous pourriez me donner son vrai nom ? Sinon je vais être obligé de faire tous les services pour la trouver.

— Je peux te donner son identité, mais ça ne servira à rien.

— Comment ça ?

— Vu son état, elle ne parlera pas.

— On ne sait jamais. Si vous pouviez…

— Note : Vera Němĕček, née à Prague le 8 juillet 1956 de Vaclav Němĕček et d'Alena Berger. Statut : réfugiée politique. Profession : pute.

— Pute ? C'est écrit comme ça ?

— Question de concision, jeune homme. Il y a écrit « entraîneuse ». Tu trouves ça concis, toi ? Non. Je suis pressé, toi aussi, alors…

— Je vous remercie, monsieur, c'est noté, mentis-je.

Adossé à la paroi de la cabine, le combiné coincé entre le cou et l'épaule, un Bic qui coulait à la main, j'écrivis péniblement ses nom, prénom et date de naissance. Ça suffirait amplement pour retrouver la seule Tchécoslovaque hospitalisée à Camilliano en dix ans.

Je prévins le journal.

— Elle s'appelle Veruschka, c'est une entraîneuse. Elle a été tabassée, elle est hospitalisée dans un état grave à Camilliano. J'y suis déjà. Filippo ne va pas tarder à me rejoindre.

— C'est bien, *blondinet*, répondit Salvatore Rosciglione, le rédacteur en chef adjoint.

Et il raccrocha.

Il ne ratait pas une occasion de me le rappeler : avant même d'être Sansommeil, pour eux j'étais un *blondinet*, un jeune qui débarque dans le métier, même si ça faisait quatre ans que je travaillais là.

La première fois que j'avais mis les pieds à la rédaction, un journaliste âgé m'avait expliqué que le monde de la presse est le dernier bastion de la monarchie absolue. Le directeur est le roi.

« À partir de lui se ramifie le pouvoir », avait-il poursuivi sur un registre plus lyrique, comme pour édulcorer le concept. J'avais souri aimablement. Sur le moment, je n'avais pas eu le courage de dire à mon collègue qui me lorgnait en bombant le torse comme un pigeon que j'aimais bien la poésie, mais que je préférais la prose.

Aux urgences, je fus accueilli par un quinquagénaire qui arborait une barbe de quelques jours et un surpoids que j'estimai à une vingtaine de kilos. Il était en train d'avaler le dernier morceau d'un croissant à la crème. Le bar de l'hôpital faisait les meilleurs croissants du centre-ville, à raison de centaines par jour, frais à toute heure. Qu'il soit à côté des urgences était un détail négligeable. On se retrouvait ainsi à côtoyer une foule de gens affairés ou soucieux encore nimbés du parfum délicieux qui s'échappait tous les matins du bar. Comme toujours et dans tous les domaines, Palerme associait craintes et délices.

— Excusez-moi, savez-vous où est Mlle Vera Něměček ? Une ambulance l'a amenée il y a une heure.

L'homme déglutit et me dévisagea.
— Vous êtes de la famille?
— Non, je suis journaliste.
— Alors je suis désolé.
— Désolé de quoi?
— Je ne peux rien dire: consigne d'en haut, et il indiqua vaguement une zone supérieure où pouvait aussi bien siéger le médecin-chef que Dieu le père.
— S'il vous plaît... Ça ne vous coûte rien et c'est pour la bonne cause. Vous savez qu'elle était très connue?
— Qui?
— Cette fille.
— Elle faisait quoi?
— Elle était entraîneuse.
— C'est quoi? Un truc dans le sport?
— C'était une *pulla*, une prostituée, traduisis-je.
Il sourit.
— *E che ficiro a 'sta pulla*? Qu'est-ce qu'ils lui ont fait ?
— Je voudrais bien le savoir. Elle est toujours ici?
— Ça, je peux vous le dire: elle est ici. Mais je ne peux pas dire où. Il vous faut demander aux médecins...
Et il prit l'air mystérieux de celui qui tait un grand secret, sans s'apercevoir que le résidu de crème pâtissière sur son menton hirsute ruinait tout son effet.

Je le remerciai avec un sourire forcé et franchis la porte vitrée opaque qui séparait le hall des salles de soins. Entre-temps une famille était entrée en poussant des cris perçants derrière un enfant qui saignait de la cuisse.

Sa mère hurlait sans trêve:
— Il s'est fait ça avec une *lanna*! Une cannette.
À vue de nez, ça ressemblait peu à un accident domestique. Le gamin avait dû jouer à des jeux dangereux dans une des décharges de la ville.

Une infirmière âgée d'une trentaine d'années me barra le

passage. C'était une belle femme aux yeux sombres en amande dignes d'une diva du cinéma muet, vêtue d'une blouse austère.

— Excusez-moi, où voulez-vous aller ?

Je révélai aussitôt la vérité :

— Je suis journaliste. Je cherche Vera Něměček.

— Vous ne pouvez pas la voir.

— S'il vous plaît, je dois écrire un article.

Elle passa une main sur ses cheveux attachés et planta ses yeux dans les miens. Son regard s'adoucit, mais son ton était sec.

— Pourquoi faudrait-il que je vous aide ?

— Parce que nous, les journalistes, on travaille pour tout le monde...

Elle décida d'avaler l'énormité, me sourit et, prise de pitié pour ma stupidité apparente, elle dit :

— Elle est dans un état grave. On est en train de la transférer dans le service des grands brûlés.

— Elle est consciente ?

— Je ne sais même pas si elle est encore vivante. Bonne chance.

L'infirmière ne pivota sur ses talons que lorsque j'eus passé la porte dans l'autre sens.

Il était tard, on attendait mes informations à la rédaction : le journal partait à l'impression à 13 heures.

Le service des grands brûlés était à deux bâtiments de là, tout de verre et de béton, l'un des plus récents de toute la forteresse de Camilliano. L'ambulance qui transportait Vera Něměček arriva huit minutes après moi.

Peu après, Filippo me rejoignit.

— Elle est là ?

— Elle vient juste d'arriver, répondis-je en indiquant l'entrée du service d'un mouvement du menton.

Il sortit son paquet de Marlboro et m'en proposa une. À l'époque, tout le monde fumait, partout. Au cinéma, dans les wagons-couchettes, en avion. Dans les hôpitaux, les visiteurs fumaient dehors, en attendant les dernières nouvelles ; les médecins et les patients dedans, dans les salles communes, dans les cabinets de consultation. C'était une sorte de carnaval de Rio un peu toxique, sans la moindre considération pour les rares non-fumeurs.

— À mon avis, on va poireauter longtemps, dit Filippo en recrachant la fumée.

— Je ne sais pas, je vais demander. Je viens juste d'arriver moi aussi.

À l'accueil du service des grands brûlés, je fus reçu par un homme de petite taille, pourvu d'une moustache digne des meilleures comédies à l'italienne des années 1960. Il était assis devant une table en formica où il lisait l'édition de la veille de notre quotidien, ouvert à la page qui disait en gros : « Le haut-commissaire à la lutte antimafia a pris ses fonctions. »

Je me présentai et m'informai au sujet de Veruschka. Il me répondit aussitôt qu'il ne savait pas comment elle allait et qu'il ne manquerait pas de me le dire si…

Je décidai de rester là pour attendre la venue d'un médecin. Je désignai l'article qu'il lisait :

— Vous pensez qu'il va y arriver ?

Il se toucha la moustache et, comme s'il se parlait à lui-même, répondit :

— « Haut », « haut »… ça reste à prouver. Parce que sinon, pour brasser du vide, ils sont tous compétents.

— Maintenant, il a vraiment beaucoup de pouvoirs… Plus que ce que demandait le préfet Dalla Chiesa…

Je prenais mon temps. Les histoires de pouvoir l'intéressaient assez peu. Lui, il voulait juste savoir pourquoi on l'avait appelé « haut-commissaire ».

— Mais les commissaires ça n'a pas déjà assez de pouvoirs ? En tout cas, ils en ont suffisamment pour mettre n'importe qui en taule…

Je laissai tomber. Sur un sourire poli, que je lui adressai seulement parce que c'était un de nos lecteurs, j'allai retrouver

Filippo sur le trottoir devant le service. Il essuyait l'objectif de son appareil avec le pan de la chemise qui sortait de son pantalon.

— Il t'a dit quoi ?

— Rien, il ne sait rien. Il ne sait même pas pourquoi il faudrait appeler le préfet Di Francesco haut-commissaire.

— Un champion.

— Tu l'as dit.

Vingt minutes plus tard, l'homme de l'accueil me communiqua que la patiente était morte.

— Décédée à la suite de ses blessures, lut-il à voix haute dans le rapport rédigé à la hâte par le médecin de garde, qu'il s'était procuré allez savoir comment.

L'assistant du médecin-chef, sorti quelques minutes après pour me parler, confirma. Un agent qui surveillait la salle où se trouvait la dépouille accepta de me montrer le passeport de Veruschka, et Filippo put ainsi avoir un portrait de la victime.

Des cheveux sombres et lisses, des lèvres pulpeuses que la photo en noir et blanc laissait imaginer d'un rose intense, des yeux qui vous fixaient, une ébauche de sourire, un teint d'albâtre. La jeune femme était d'une beauté saisissante, l'image même de la séduction. À présent ce n'était plus qu'un cadavre étendu sur une civière, dans l'attente d'atterrir sur une table de marbre.

J'appelai le journal.

— Veruschka est morte, annonçai-je à Antonio Reina, ancien membre du secrétariat régional du syndicat CGIL devenu le rédacteur en chef de la rubrique des faits divers.

Il était connu pour ses excès en matière de cigarettes et café. Plutôt que de le tuer, ces deux addictions conjuguées affinaient son esprit de synthèse et ses compétences en gestion d'équipe.

— Merde.

Ce commentaire succinct fut également, me semble-t-il, son analyse des faits.

UNE DEMI-HEURE PLUS TARD j'étais devant ma machine à écrire, attendant que le commissariat me passe Gualtieri, le chef de la police judiciaire.

— Sacré merdier, dit celui-ci de but en blanc.

Il excellait dans l'art de sauter les préliminaires.

— C'est-à-dire ?

— Le commissaire m'a déjà appelé. À 8 h 50. La fille était morte depuis dix minutes et tu sais ce qu'il me dit ?

— Non.

— « Gualtieri, Palerme a suffisamment de problèmes, pas la peine d'en rajouter avec des cas insolubles de prostituées massacrées. »

— Cas insoluble ? dis-je, étonné.

— Exactement. Verdict posé dix minutes après l'homicide, tu te rends compte ?

— C'est quoi son problème, à notre commissaire ?

— Aucune idée. Je sais juste qu'il m'a demandé de trouver la liste des clients de Veruschka

— Qu'est-ce que vous lui avez dit ?

— J'aurais répondu *quelle excellente idée !* si je n'avais pas déjà demandé à mes gars de se la procurer. J'ai dû me contenter d'un « oui, m'sieur ».

Étrangement, Gualtieri était en confiance avec moi. Il se laissait aller à des confidences et à des considérations qui parfois me sidéraient. Comment cet homme originaire du Nord qui avait presque le double de mon âge et se trouvait à la tête d'un des services de police judiciaire les plus difficiles d'Occident pouvait-il se confier librement à un jeune journaliste ? La première fois qu'il m'avait reçu, plus d'un an auparavant, il m'avait exposé sa méthode

— Je t'avertis, moi je parle, mais après je nie.

J'avais fait mine d'avoir compris. Puis il avait énoncé un dicton familial, qui était resté gravé dans ma mémoire :

— Jamais de mensonges, mais pas forcément la vérité.

C'était sa porte de sortie, une parade parfaite qui lui servait peut-être aussi face au commissaire.

— Mais, vous, vous avez une idée de cette liste ?

— Attends, je la cherche. Laisse-moi voir dans mes tiroirs, elle est peut-être cachée sous le planning de mes hommes.

— *Malagiornata*, comme on dit à Palerme, sale journée.

— C'est ça.

— Quelques suspects en vue ? lançai-je en gribouillant un hiéroglyphe sur le papier millimétré du journal.

— Tu parles de suspects ! Il était une fois une fille superbe défigurée et assassinée. Sa biographie, par ailleurs succincte, révèle une particularité : elle se tapait tous les types qui comptent. Tu veux vraiment savoir le nom du suspect ? C'est Palerme.

— J'ai compris. Je vous rappelle plus tard.

Gualtieri raccrocha. Il avait raison, ce n'était pas le bon jour.

Je m'approchai du bureau du rédacteur en chef. Reina s'envoyait son quatrième café serré comme on prend un cachet : une seule gorgée, cul sec, une balle de liqueur noire, dense et sucrée en plein dans l'estomac. À Palerme, même le café est criminel.

— Tu as des infos sur cette Veruschka ?

— J'ai eu Gualtieri. Ils piétinent.

— Moi j'ai une idée.

— Je t'écoute.

— Faudrait que tu trouves la liste de ses clients.

Je souris. En enfonçant les mains dans les poches de mon Wrangler, je reconnus au toucher un paquet de feuilles à rouler Rizla, vestige de la soirée de la veille. J'aurais dû me faire un joint à la rédaction pour reprendre la journée du bon pied.

Dans la lignée de Gualtieri, je répondis au rédacteur en chef :

— Excellente idée, la liste est peut-être dans un de mes tiroirs, je vais vérifier.

Il me regarda comme si j'étais un morceau de bouffe coincé dans un dentier.

— Fais pas le con, débrouille-toi pour la trouver.

— OK, chef. J'écris mon article et j'y vais.

— C'est ça.

Son adjoint, qui avait écouté la conversation, haussa un sourcil sans faire de commentaire. Effectivement, ça n'en méritait pas.

L'article devait rester vague. Veruschka. Profession : pute. Édulcorer un peu pour les lecteurs. L'acide, ses blessures horribles, son agonie, sa mort. La coïncidence avec le lieu où De Mauro avait disparu en 1970... La traque d'un assassin qui s'était acharné contre une professionnelle sans défense. Qui était le coupable ? Un « indépendant », ou plutôt un « dépendant » ? Je concluais l'article par cette question : *Veruschka connaissait-elle des secrets gênants pour la mafia ?* Cosa Nostra était un ingrédient indispensable.

La mort de Veruschka fit sensation dans certains milieux de Palerme. Chez moi, un peu moins.

— Qu'est-ce que tu as fait toute la journée ? me demanda Lilli en me voyant rentrer.

— Je me suis occupé de la mort d'une fille.

— Quelle fille ?

— Tu n'as pas regardé TeleMomento ?

— Je préfère Rete 4.

— Une fille qui travaillait dans un bar de nuit.

— Qu'est-ce qu'elle faisait ?

— S'il te plaît, Lilli…

Je caressai ses cheveux blonds. Un grand sourire illumina son visage.

— OK, ça te regarde.

— Ça concerne aussi tous les gens qui vont dans certains bars pour draguer des filles qui couchent pour de l'argent.

— C'était une prostituée ? Ne me dis pas que tu as passé ta journée sur la mort d'une prostituée !

— Bizarre, hein ?

— La mafia est dans le coup ?

— J'en sais rien. Mais j'aimerais vraiment parler d'autre chose.

Je m'approchai du tourne-disque pour mettre *Easter* de Patti Smith. D'habitude j'écoutais cet album le matin tôt, avant d'aller au journal. C'était comme un second réveil.

« Because the Night ».

Le mystère d'une nuit, de toutes les nuits.

Pour sa nuit à elle, Veruschka n'aurait jamais de réponse. Elle finirait peut-être par obtenir justice, mais ce peut-être était fragile car, dans une ville où sévit la guerre de la mafia, qui prendrait le temps de s'occuper d'une pute défigurée et assassinée ?

Lilli chaloupa au son de la voix rauque.

Take my hand come undercover
they can't hurt you now,
can't hurt you now, can't hurt you now
because the night belongs to lovers
because the night belongs to lust
because the night belongs to lovers
because the night belongs to us.

Le déhanché de Lilli donna raison à Patti, la poétesse la plus concise que j'avais jamais entendue.

— C'est Bruce Springsteen qui a écrit ce morceau, lui dis-je, mais apparemment la question des copyrights ne l'intéressait pas.

Au troisième couplet, elle s'approcha de moi et me fit taire d'un baiser langoureux qui aurait pu durer éternellement si une main aux doigts fuselés ne s'était pas immiscée entre ma bouche et la sienne.

— Hé, c'est pas fini vous deux ?

Serena avait surgi entre nous, pour nous séparer. Ça faisait longtemps qu'elle y travaillait.

— Où est Fabri ? lui demandai-je.

— Dehors, en train d'attacher sa moto.

Je remarquai que ses longs cheveux noisette, d'ordinaire ondulés, étaient un peu aplatis. Dans son autre main elle tenait un casque. Dans le Palerme des années 1980, Fabrizio et Serena devaient être quasiment les seuls à pratiquer le port du casque. De vrais extraterrestres.

— À part se bécoter, c'est quoi le programme de la soirée ?

— De la grande cuisine, dis-je avec un air de chef. Pâtes margherita avec *anciova* et tomates séchées, le tout servi avec du fromage, le meilleur *caciocavallo* de Raguse.

J'adressai un signe complice à Lilli, qui revint dans mes bras, ignorant Serena.

— Très bien, chef, fais ce que tu sens. Fabri et moi on

s'adaptera, dit-elle en posant son casque sur le coffre. Et elle me lança un regard de braise.

Quelques jours auparavant, au petit matin — il était 6 h 50 et j'étais en retard —, j'étais tombé sur elle dans le salon. Elle portait le pyjama de Fabrizio complètement déboutonné. J'ignore ce qu'elle faisait debout à cette heure mais elle semblait très à l'aise, au point de renoncer à ramener les pans de sa chemise pour me laisser apprécier, pendant quelques secondes, l'arrondi de ses seins parfaits.

Puis elle m'avait dit :

— Salut, Leo, t'aurais pas vu *Les Nuits blanches*, je l'avais laissé sur le canapé…

J'avais haussé les épaules, puis m'étais encore retourné vers elle avant de filer en lui lançant un baiser. Une fois sur ma Vespa, mon cœur avait pu reprendre son battement normal de soixante-cinq pulsations par minute.

Au bout d'un moment, Fabrizio entra en criant :

— Alors elles sont prêtes, ces pâtes aux anchois ?

Je ne répondis pas par des paroles, mais par des actes. J'apportai sur la table un plat de spaghettis fumants, débouchai une bouteille de blanc d'Alcamo tout en recueillant les compliments des filles. Tout se déroula tranquillement jusqu'à l'heure du coucher.

Au lit, Lilli me demanda ce que je pensais des putes. Je répondis que je n'avais pas d'idée arrêtée sur la question, que la grande majorité de ces femmes avait été poussée sur le mauvais chemin par nécessité. Elle n'approuva pas mon point de vue, et me dit que, même si c'étaient des victimes, elle ne les supportait pas. Je choisis de ne pas répliquer. Je dormais avec une fille comme il faut.

Les parents de Veruschka arrivèrent à Palerme le lendemain après-midi. Depuis Prague, un Tupolev d'Aeroflot les avait débarqués au terminal international de Fiumicino, l'aéroport de Rome. Ils furent accueillis par deux agents italiens de la police des frontières et par l'attaché culturel de l'ambassade tchécoslovaque, un certain Milan Nezval, qui présenta au guichet son passeport diplomatique. L'homme portait un complet gris clair à trois boutons. Le tissu devait être un mélange de laine et de viscose.

Nezval colla aux basques de Vaclav Něměček et d'Alena Berger sitôt qu'ils eurent passé les contrôles d'immigration. Il les escorta sur le vol DC-9 en direction de Palerme. Assis à la gauche du père de Veruschka, il se limita à répéter deux fois « courage » pendant toute la durée du voyage.

Le gouvernement tchécoslovaque avait autorisé le couple à se rendre à Palerme pour la reconnaissance et le rapatriement du corps de leur fille. L'accord avec les autorités italiennes habilitait la police à poser certaines questions aux parents de la jeune femme à condition que le traducteur des échanges fût Milan Nezval, grand connaisseur de la langue et des services secrets du Bel Paese. Comme devait me l'expliquer Gualtieri, le chef de la police judiciaire, Nezval était « un espion qui jouait cartes sur table ». Son rôle était tellement évident que personne, ni à Rome, ni encore moins à Palerme, ne s'inquiéta des conditions imposées par le gouvernement tchécoslovaque.

Nezval allait traduire et trahir si nécessaire le sens littéral, qu'il s'agisse des propos des policiers italiens ou de ceux de la famille Něměček. C'était son boulot.

— De toute façon, devait ajouter Gualtieri, l'homicide de Veruschka n'a rien d'une affaire d'espionnage.

Et il avait raison. C'était une affaire criminelle typiquement palermitaine, un code que même les plus grands espions de la guerre froide peineraient à décrypter.

Vaclav et Alena Něměček furent conduits à l'institut médico-légal, où le corps de la victime était conservé dans un tiroir frigorifié. Le médecin de garde, Ettore Malvagno, un homme d'une quarantaine d'années grand et courtois, les accueillit en leur murmurant un bonjour que Nezval traduisit. Quand il ouvrit le tiroir, les parents se mirent à sangloter en silence. Leurs larmes disaient *oui, c'est bien notre fille* sans qu'il y ait besoin de traduction.

Au commissariat, ils répondirent à quelques questions de routine. L'attaché culturel de l'ambassade fit noter dans le procès-verbal que les époux Něměček savaient seulement que leur fille était à Palerme pour poursuivre ses études d'italien dans le cadre d'un échange organisé par le Parti communiste italien et son homologue tchécoslovaque. Gualtieri leur demanda s'ils avaient des soupçons, si Vera avait fait allusion à quelqu'un en particulier pendant une de leurs conversations téléphoniques. Nezval traduisit, et le couple répondit par un : « Nous ne savons rien. » Gualtieri fit établir le procès-verbal, congédia le trio tchécoslovaque et constata en jetant un œil à la pendule que cet entretien inutile lui avait fait perdre presque une heure.

Les parents de Veruschka repartirent à Rome le soir même, accompagnés de l'espion au complet gris, moitié laine moitié viscose.

Au même moment, j'appelai le chef de la police judiciaire pour savoir comment ça s'était passé.

— Comme on dit ici, *una minchiata*, une connerie qui m'a fait perdre une demi-journée, entre réception à Punta Raisi, morgue et audition des témoins. On croyait quoi ? Que ces deux malheureux étaient au courant que leur fille était une pute ?

Il me raconta sa journée avec les Něměček et conclut par le portrait de l'espion Milan Nezval. Je lui posai plusieurs questions sur le couple, car leur vie pouvait expliquer en partie celle de Vera. Je voulais savoir dans quelle mesure cette fille magnifique était consciente de ce qu'elle faisait. Gualtieri ne sut pas m'aider. Cela ne l'intéressait sans doute pas : il voulait juste trouver l'assassin pour clouer le bec au commissaire.

Je téléphonai alors à un de ses hommes, l'inspecteur Ermanno Zoller, un géant du Nord que le hasard avait jeté dans la ville la plus chaude et la plus énigmatique d'Italie. Je réussis à le convaincre de me lire le rapport d'autopsie, ce qu'il fit sans rechigner. Il me demanda seulement de ne pas le retranscrire mot pour mot. Je ne compris pas si c'était pour couvrir la source, c'est-à-dire lui-même, ou à cause de la brutalité du contenu.

Je pris des notes tandis qu'il lisait :

— … L'autopsie, achevée hier soir, a confirmé que la mort de Vera Němĕček n'a pas été entraînée par une cause unique – tel un coup plus violent que les autres, ou la lésion d'un organe vital. La victime est décédée à la suite d'une série de coups assenés avec une violence démesurée. Le médecin légiste a constaté la présence d'hématomes sur l'ensemble du corps, provoqués par des coups à la tête et au thorax qui ont déclenché plusieurs hémorragies internes. Cette importante perte de sang a causé une décompensation cardiaque. À cela s'ajoute l'effet dévastateur de l'acide chlorhydrique.

Sa voix s'étiola comme un fondu au noir. Veruschka était morte dans d'atroces souffrances. Je supposai que Zoller aurait aimé que l'assassin connaisse le même sort.

Appartement de Veruschka, 19 h 45

Ses lèvres contenaient une quantité anormale de mélanine qui leur conférait une couleur framboise sans avoir besoin de rouge à lèvres. Elle les avança comme pour se donner un baiser et le miroir lui renvoya le dessin d'une fleur. Veruschka voulait se contempler dans la lumière déclinante du soir. Elle avait du temps pour elle. Elle n'avait pas envie de lire, plutôt d'écrire quelques notes sur les jours précédents. Son journal était rangé dans le tiroir en haut à gauche de son meuble à tout faire. Elle le prit et le caressa comme s'il s'agissait d'un petit chat. Avec sa couverture beige en peluche, on aurait dit un échantillon de moquette.

Veruschka était nue. Pendant les laps de temps libre que lui laissait son travail, elle savourait le plaisir de sa nudité. En Tchécoslovaquie, sa famille voulait faire d'elle une athlète, seul métier qui lui permettrait d'obtenir un visa pour l'étranger. À l'époque, personne ne connaissait cet institut du Parti communiste italien qui proposait l'enseignement des langues. Et d'ailleurs aucun membre de sa famille n'avait entendu parler des communistes italiens. Par conséquent, mieux valait jouer au basket. Entraînement tous les jours avec un coach qui croyait en elle, et qui voyait davantage son corps comme une mécanique parfaite que comme un objet de désir. À quatorze ans, elle était un des espoirs du basket tchécoslovaque. À seize ans, une sorte de rage intérieure cherchait à se libérer à travers le monde mystérieux de la musique autorisée par le régime. La langue des chansons italiennes était difficile, mais elle semblait lui dire, mot après mot, que la vie n'est qu'amour, amour toujours. Se toucher, rire, être heureux. « Tuca Tuca », répétait le morceau de Raffaela Carrà.

Veruschka regarda son corps dans le miroir pour en admirer

les proportions parfaites : la courbe nette de ses hanches, ses muscles allongés qui affleuraient sous sa peau claire et élastique. C'était le corps d'une athlète qui avait décidé d'exceller dans le sport le plus difficile : la conquête de la liberté. Elle caressa son journal. Un jour, il faudrait qu'elle lui en dise davantage sur ce garçon si gentil qu'elle attendait pour 20 h 30. Elle se demanda s'il était gentil parce qu'il la désirait, comme tous les autres hommes de Palerme, ou parce qu'il était différent. Gentil, tout simplement. Le doute resta, accru par la vision de son tour de poitrine parfait. Elle se savait belle, se savait désirée et savait combien il en coûtait.

Elle se dit que le garçon qui voulait devenir avocat risquait de passer aussi. Il était déjà venu la chercher une fois, et ce soir-là ils étaient allés à Mondello avec sa décapotable, pour manger un *spongato* à l'Antico Chiosco. Lui aimait les parfums classiques : noisette et chocolat. Elle avait demandé mûre et pastèque, puis elle avait corrigé : melon. Elle les confondait, le premier était rouge, l'autre orangé. Elle aimait les fruits.

J'aime la Sicile, j'aime ses fruits, j'aime l'argent que la Sicile me donne. Cet enthousiasme pour sa nouvelle vie, elle le consignait à l'aide d'une collection de Bic à encre bleue qu'elle mordillait inlassablement. Elle adorait mâchouiller leur capuchon en plastique, qu'elle modulait pour leur donner la forme d'une petite pipe ou d'un saxophone. Elle mordillait et écrivait. Elle décida de parler d'un nouveau client qu'elle avait rencontré au Lady Jim. C'est dans ce bar qu'elle travaillait, laissant au patron une partie de ses gains, c'est là qu'elle avait connu le garçon qui voulait devenir avocat. Il était avec trois amis, ils riaient, mais il était le seul à ne pas se moquer d'elle quand elle passait. Puis il lui avait offert à boire et s'en était tenu là. Juste quelques bavardages entre gens du même âge. Quelques plaisanteries sur les vieux messieurs qui la regardaient depuis leur table. L'un d'eux se faisait appeler Sferlazza. Quand le patron du Lady Jim le lui avait présenté, il avait froncé les sourcils en baissant la tête, discrètement, bien sûr. C'était un code entre eux pour signaler qu'il s'agissait d'un client important. Il ressemblait un peu à son grand-père Jaroslav, quoique plus petit de taille. Âgé de soixante-dix ans environ, il se distinguait par une bedaine importante et des manières courtoises. Sauf que Sferlazza voulait faire des choses avec elle. Rien de bien méchant : la première fois qu'elle était allée chez lui, il lui avait seulement demandé de le prendre dans sa bouche contre deux cent mille lires, le même prix que s'ils avaient fait l'amour. Lui aussi était du genre gentil.

Veruschka écrivait vite, concentrée sur le portrait de Sferlazza et le récit de la nuit qu'ils avaient passée ensemble. Il l'avait emmenée dans sa propriété à l'extérieur de Palerme, avec un jardin aussi vaste qu'un bois, plein d'arbres chargés d'oranges et de mandarines. Ils étaient arrivés dans la nuit, et Veruschka avait eu envie de rire en songeant que le vieux pouvait s'endormir d'un moment à l'autre. Mais quand l'homme, salué avec déférence par son gardien, était rentré dans son fief, parmi les canapés aux tissus ouvragés, les tableaux anciens et les courbettes de son domestique, il s'était ragaillardi comme s'il avait pris de la drogue ou un café très fort. Néanmoins, il avait continué à être galant. Il lui avait offert un cognac, lui avait montré sa collection de couteaux de chasse puis avait fait signe au domestique de se retirer. Il l'avait emmenée dans sa chambre aux environs de 3 heures du matin. Veruschka était mal à l'aise, pensant que son client abandonnerait ses bonnes manières et la contraindrait à des jeux dangereux. Or, il s'était contenté de s'allonger sur le lit et de déboutonner son pantalon. Les deux cent mille lires avaient été vite gagnées. Dans son journal, Veruschka avait utilisé plusieurs fois les adjectifs *vieux, gentil, généreux*. Elle relut la page, satisfaite de sa description de la demeure.

Écrire nue, allongée à plat ventre sur le lit, en tête à tête avec son journal intime, c'était son rituel secret. Elle avait appris à connaître le mois de mars palermitain, un mois traître alternant les tièdes illusions et les gelées soudaines.

Ce jour-là faisait illusion, mais elle frissonna de froid, bien que la fenêtre soit fermée. Elle tira un pan de la couverture de laine qu'elle avait achetée dans une boutique du centre et s'y enveloppa : exquise douceur de la laine italienne sur sa peau nue. Elle pensa que la liberté était aussi dans ce genre de détails. Elle regarda la pendule. Une heure était passée, et Veruschka avait consacré une demi-heure à écrire sur elle. C'était une petite victoire.

Je lisais un article déprimant sur la relégation de l'équipe de Palerme en série C en attendant que le chef de la police judiciaire me rappelle, comme je l'avais demandé à Zoller. Je voulais savoir s'il y avait du nouveau au sujet de la liste des clients de Veruschka. Soudain, le téléphone sonna sur mon bureau en formica vert.

C'était Saro.

— Sansommeil, il y a quelqu'un pour toi, il dit qu'il te connaît.

— Merci. Passe-le-moi.

Un léger grésillement électrique m'avertit que la fiche avait été insérée.

— Qui est à l'appareil? demandai-je.

— Quelle joie de t'entendre, mon presque neveu!

Je reconnus cette voix.

— Bruno?

— En personne. Tu as d'autres presque oncles à Palerme?

Le baron Bruno Capizzi di Montegrano était le frère du père d'Angela, une fille avec qui j'étais sorti en terminale. Je l'avais rencontrée un hiver, lors d'une soirée chez un gars du Garibaldi, un type qui faisait le cent mètres nage libre en cinquante-neuf secondes. À sa fête, il y avait peu de joints, mais beaucoup de filles magnifiques. Avec Angela, on avait dansé sur « Samba Pa Ti », aussi collés que si des Indiens nous avaient ligotés ensemble à un poteau. Ce morceau avait marqué le début d'une relation qui avait duré jusqu'au bac, suffisamment de temps pour faire quelques expériences en matière de sexe et de jalousie. Elle m'avait fait rencontrer sa famille. J'avais sympathisé avec son oncle Bruno, un quinquagénaire qui se distinguait des autres par son côté franchement bohème.

— Comment vas-tu, tonton Bruno?

— Toujours pareil, je vis à Palerme comme si j'étais à Montecarlo. Et toi, toujours Sansommeil ?

— Et oui. Je n'arrive pas à récupérer. Je bosse aux faits divers, comme tu le sais. Tu me lis de temps en temps ?

— Justement…

Il hésita, son ton était devenu sérieux.

— Justement quoi ?

— J'ai décidé de t'appeler parce que c'est un peu délicat.

— Qu'est-ce qui se passe, Bruno ?

— J'ai lu le papier sur la mort de cette pauvre fille.

— Tu parles de Veruschka ?

— J'ai vu que tu avais signé l'article.

— Oui, je suis l'affaire. Mais je n'ai rien à me mettre sous la dent.

Puis un doute me vint :

— Tu la connaissais ?

— Oui, justement…, répondit-il, et il s'interrompit.

— Bruno ?

— Oui, je la connaissais et j'aurais des choses à te dire sur elle, à condition que tu me jures…

Je finis sa phrase pour sceller notre pacte de discrétion :

— Que personne ne saura que nous nous sommes vus.

— Exactement.

— On se donne rendez-vous où ?

— Viens chez moi, on sera tranquilles. Tout de suite si tu veux.

— J'arrive.

J'allai voir le rédacteur en chef, qui était en train de froisser une feuille de papier. Il en fit une boule et essaya de faire un panier à un mètre de distance. Il rata la corbeille de dix centimètres.

— Tu sais ce que c'était ?

— Non, chef.

— Le papier d'un pigiste. Totalement a-nal-pha-bète ! scanda Reina.

Ça me rappela mes débuts. Voir l'article sur lequel on a passé une nuit entière devenir un ballon de basket en l'espace de vingt secondes, ça apprend à calmer l'ego.

— Il avait écrit quoi, le gamin ?

— Il devait rédiger quarante lignes sur l'occupation d'un lycée, et il a fait un genre de tract sur les droits des étudiants. Il n'y a pas un seul fait, que des conneries.

— Je comprends. Je dois y aller, chef.

— Tu t'ennuies ?

— Non, j'ai un contact intéressant dans l'affaire Veruschka.

— Je vais faire semblant de te croire. Quand est-ce que tu m'apportes la liste de ses clients ?

— Justement, je vais la récupérer, bluffai-je, mais peut-être pas.

Au fond, c'était juste une exagération. Car je tenais au moins un client : le baron Capizzi di Montegrano.

J'enfourchai ma Vespa et m'élançai dans l'air frais du mois de mars palermitain. Destination : via Resuttana, dans le quartier des Colli.

La dernière fois que j'étais allé dans le coin remontait à deux ans auparavant. Le journal m'y avait envoyé pour enquêter sur un dîner spécial. La source, un repenti de haute volée dont on ne connaissait pas encore l'identité, avait raconté aux magistrats qu'un massacre avait été *consommé* dans la villa du parrain Riccomanno, située via Resuttana. Le mot choisi par le repenti ou le magistrat dans le procès-verbal était parfaitement approprié : le parrain avait invité à dîner une douzaine de ses lieutenants, tueurs et hommes de main et les avait empoisonnés. Confiants en leur chef, ils avaient consommé leur repas et leur vie. Ce n'était qu'un changement brutal de résidence : Riccomanno avait décidé de passer chez les Corléonais, mais une partie de sa bande était encore fidèle aux familles palermitaines. Il l'avait donc liquidée avant de préparer armes et bagages.

Le récit du repenti était glaçant : pour ne pas éveiller les soupçons de ses hommes, quelques heures avant, le parrain avait pris un antidote qui lui avait permis de partager le repas avec eux tout en atténuant l'effet du poison. Il s'était senti mal, mais n'avait pas perdu connaissance, et avait vu mourir dans son jardin, un à un, des hommes qui pendant des années avaient été sa force, son bras armé. Douze victimes. Douze corps jamais retrouvés.

Pour vérifier l'authenticité de cette histoire étrange, on m'avait envoyé avec un autre *blondinet* dans le coin de la via Resuttana glaner des informations susceptibles de confirmer le récit du repenti. Nous apprîmes plus tard que la police ne s'en était pas mieux tirée : elle n'avait trouvé aucune trace des corps, probablement dissous dans l'acide ou jetés dans quelque cavité karstique dans les montagnes des environs de Palerme.

Un an après le massacre, le parrain avait disparu dans la nature. Or, le repenti avait dit aux magistrats que le frère d'un des lieutenants tués lors du repas l'avait vu un jour dans le garage où il travaillait. À cette époque, Riccomanno sortait seul, méconnaissable avec ses lunettes et ses cheveux longs et gris. Mais le garagiste n'avait aucun doute sur son identité. Il l'avait suivi. Le lendemain, il était arrivé au travail l'air particulièrement satisfait. De temps à autre, un rire lui échappait. Son patron lui avait demandé pourquoi il était aussi joyeux :

— Qu'est-ce qui t'arrive, tu as gagné au loto sportif ou quoi ?

— Non, *chuiu un pirtuso.* Non, j'ai rebouché un trou.

En repensant à tout cela, je n'avais pas fait attention aux kilomètres que j'avais parcourus. J'étais déjà via Resuttana, une rue étroite où alternaient boutiques et portails majestueux en fer forgé.

UN DE CES PORTAILS donnait accès à la demeure du baron Capizzi, cachée depuis deux siècles au cœur d'une plantation d'agrumes. Celle-ci était la dernière survivante des douze orangeraies qui, au début du XXe siècle, couvraient encore une plaine désormais dévorée par la ville. Je n'étais jamais venu ici quand je sortais avec Angela, mais je savais que ces dix hectares de verdure qui avaient tenu face à la coulée de béton mafieux étaient à la fois un pied de nez à l'avidité des constructeurs et la preuve qu'à Palerme il était possible de résister – moyennant des compromis avisés. Le baron avait résisté, et, surtout, il avait su négocier ces *compromis avisés*: l'eau qui irriguait le terrain était fournie par la société privée des Riccomanno, cousins du parrain homonyme, et les oranges étaient commercialisées par l'entreprise d'exportation Lo Verde & fils, montée par la même *famiglia*. Les dix agriculteurs qui y travaillaient étaient quant à eux recrutés par les Culicchia, membres de la *cosca* des Colli, un clan dont le territoire comprenait la via Resuttana. Grâce à cette entente générale avec Cosa Nostra, les dix hectares du baron étaient restés intacts.

Sur le chemin qui conduisait à la villa, je humai à pleins poumons l'odeur de terre retournée. J'avais l'impression de me trouver autre part, dans une époque lointaine. Ma Vespa était le seul élément motorisé dans ce paysage rural tout droit sorti du XVIIIe siècle. En regardant le tuf de la bâtisse, je me souvins qu'à Palerme la notion de temps est une simple convention. Il fallait que je dise à Serena de venir voir cette façade, avec son grand escalier à double volée presque identique à celui de la villa Boscogrande, un kilomètre plus loin, que Luchino Visconti avait choisie pour en faire la demeure du prince Fabrizio Salina dans son film *Le Guépard*. J'avais lu quelque part que, fort de la modestie légendaire des aristocrates siciliens, le noble qui au XVIIIe siècle avait fait construire la villa Boscogrande s'était inspiré du château de Versailles. Après le succès du film, le Versailles des Colli était devenu une boîte de nuit fréquentée par un pêle-mêle de nobles déchus, mafieux, constructeurs aux dents longues, jeunes femmes arrivistes et notables pleins aux as. Comme on disait à l'époque, c'était devenu *un club branché*. Le lieu de divertissement de tous ceux qui s'accaparaient la ville.

Bruno Capizzi di Montegrano m'attendait accoudé à la balustrade, en haut de l'escalier double. C'était un homme grand et maigre, dont les cheveux poivre et sel coiffés en arrière formaient des ondulations argentées. Le col d'une chemise écossaise dépassait de son cardigan fait main en laine épaisse. Un sourire généreux éclaira son visage :

— Mon presque neveu !

— Salut, *tonton* Bruno, répondis-je pour souligner cette fausse parenté qui nous donnait l'illusion de partager des sentiments forts et une solidarité à toute épreuve. D'autant que j'avais besoin de ses confidences.

— Entre, je te fais préparer un café.

Il posa une main légère sur mon épaule et me guida vers l'immense hall de six mètres sur six. Je laissai mon blouson sur une des huit chaises en paille de Vienne qui meublaient la pièce, par ailleurs plutôt dépouillée. Bruno me conduisit dans le séjour, qui donnait sur une terrasse. Sans être démesurée, celle-ci était assez spacieuse pour contenir une vingtaine de petits fauteuils et quelques tables basses. J'imaginai des après-midi et des soirées oisifs passés à siroter des cocktails sur les balancelles que j'avais aperçues sur la droite, sous la majestueuse treille de jasmin d'hiver. Une servante septuagénaire, avec coiffe et tablier à rayures, nous rejoignit.

— Ninetta, prépare-nous un café, je te prie.

— Tout de suite, monsieur le baron, répondit-elle avant de s'éloigner à pas lents.

Nous nous assîmes sur un canapé, devant la porte-fenêtre

qui ouvrait sur la terrasse et sur l'orangeraie en contrebas. En levant les yeux, on voyait le profil du mont Pellegrino.

— Comment ça va, Bruno ?

— Comme d'habitude. Mon ex-femme me casse les pieds, l'orangeraie produit de bons fruits qui se vendent mal, mes deux enfants n'arrêtent pas de me demander de l'argent depuis Rome, et j'ai une petite amie à temps partiel…

— À temps partiel ?

— Oui, c'est sujet à débat. Elle, elle voudrait passer à plein temps. Moi, je reste sur mes positions. J'ai cinquante-cinq ans, ma vie, mes passions…

— Tu adorais la voile. C'est toujours le cas ?

— Oh oui ! Hors de question de quitter le club nautique ! C'est là qu'on fait les meilleures parties de poker, et qu'on trouve les meilleurs coups. Tu sais comment sont les femmes des amis, hein…

Non, franchement, je n'en savais rien. Entre autres parce que aucun de mes amis n'était marié. Je lus dans son sous-entendu vulgaire l'envie de réaffirmer la confiance qui nous unissait. Lui et moi, *tonton et neveu*, en train de parler de *fimmine*. Une équipe. Ces propos me confirmèrent que, arrivé à un certain âge, on tue l'ennui à coups de sexe clandestin ou en parlant de sexe sans arrêt. Et je me dis que pour ma part j'aimerais bien sauter cette étape et passer directement de mon âge à celui de mes grands-parents. De la passion à l'état pur à la sérénité céleste. Entre les deux, je ne voyais que des dangers. Attrayants certes, mais qui se traduisaient par des mensonges et des fuites en avant pour échapper à soi-même et à la routine.

— Oui, j'imagine comment certaines femmes peuvent se comporter…

— Au club, ce sont toutes les mêmes. Enfin, les *bone*, les bombes. Il se mit à rire.

— Non, ce n'est pas vrai, même les mochetés veulent *ficcare*, tirer un coup. Le problème, c'est que, nous autres gentilshommes, on ne sait plus où donner de la tête. Tu comprends bien que ce n'est pas compatible avec une copine à plein temps.

— Donc, elle reste à mi-temps, conclus-je.

— Tout à fait, jeune homme. Pourtant, je n'ai rien contre elle : Susanna a trente-sept ans, elle parle anglais et français, elle est belle mais pas vulgaire, elle a lu *La Recherche*... Elle adore le cinéma et les enfants. Elle en a eu deux avec un avocat qui a fichu le camp avec sa secrétaire. Alors en plus elle m'épargne la rengaine : « Je veux avoir un enfant avec toi »...

— Et Veruschka, dans tout ça ?

Une ombre traversa le visage de Bruno.

— Des petits à-côtés, des *innocenti evasioni*, comme dit la chanson de Lucio Battisti.

Quelle blague : cette villa n'avait jamais rien vu d'innocent, pas même un nouveau-né.

— Raconte.

Je sortis mon carnet.

Bruno leva lentement la tête vers le mont Pellegrino, comme s'il cherchait la cime des yeux.

— Ça a commencé il y a un an à peu près, c'était le tout début de mon histoire avec Susanna. Un soir, Renato... – tu vois de qui je parle ? C'est le frère du galeriste de la via Torrearsa –, donc Renato m'appelle et me dit : « On va boire un coup ? » Je lui demande où et il me répond : « Au Lady Jim, quelle question ! »

— C'est quel genre de club ?

— Depuis 1970, c'est l'endroit où tous les gros portefeuilles se retrouvent. C'est là qu'on a découvert le *scotch whisky*.

— Le whisky quoi ?

— Le whisky écossais. Ils en ont une sacrée gamme : Highlands et Lowlands, Islay et Skye... il faut débourser au moins vingt mille lires pour boire la moindre goutte. Bref, je lui réponds : « D'accord pour le Lady Jim. » Et là Renato ajoute quelque chose, qui va te faire comprendre pourquoi je te dis tout ça : « En plus, il y a une nouvelle fille, hongroise je crois, ou tchécoslovaque. Enfin, une fille de l'Est. Je ne sais pas comment ils se sont débrouillés pour la faire venir, mais elle est extraordinaire, il faut que tu la voies. »

— C'était à quelle période ?

— Février, je dirais. Donc vers 11 heures Renato passe me prendre avec son Alfa 1750. J'étais habillé comme d'habitude, une veste sombre en tweed, un imperméable clair : normal. Le Lady Jim était déjà presque plein. Tu y es déjà allé ?

— Je n'ai vu que l'extérieur. On a essayé d'y entrer après la mort de Veruschka, mais le patron n'a pas voulu.

— Tu as remarqué l'escalier qui descend depuis la via Principe di Paternò jusqu'à la porte du bar ?

— Oui.

— Eh bien, ce soir-là il y avait la queue dans l'escalier. À mon avis, c'est parce que la moitié de la ville voulait voir Veruschka.

— Elle était si belle que ça ?

— Elle te rendait *schifìo*, carpette, en deux secondes. Une beauté à faire peur.

— Décris-la-moi, lui demandai-je en repensant à la photo d'identité que Filippo avait photographiée.

Je voulais que Bruno donne vie à ce cliché, à cette image en noir et blanc 4x6.

Le regard du baron revint sur le profil du mont Pellegrino. Le vent agitait les feuilles des orangers les plus hauts. Des veines d'un bleu intense striaient le ciel gris lumineux : le temps n'est jamais immobile, à Palerme. D'un point de vue météorologique, du moins.

Bruno sirota le café que Ninetta avait déposé sur la table basse Louis-Philippe avant de disparaître de nouveau en silence. La première fois que j'avais vu Bruno, Angela m'avait raconté que cette femme s'occupait de lui depuis sa naissance. C'était une Sicilienne sèche et menue qui, avec son chignon de cheveux gris sous sa coiffe et sa tenue de travail, ressemblait davantage à une brodeuse qu'à une gouvernante.

— Veruschka était plus grande que les Palermitaines. Elle avait des cheveux lisses, couleur de loutre, de grands yeux noisette qui, la nuit, prenaient un éclat cuivré. Et un corps à couper le souffle.

— C'était quelqu'un de gentil ?

— Je ne saurais pas te dire. Ce qui est sûr, c'est qu'elle était très tendre.

— Donc tu l'as connue ce soir-là.

— Oui. Renato avait réservé une table. On s'est assis et on a commandé deux Talisker. Le serveur nous les a apportés, avec l'eau froide et les glaçons séparément. Et puis elle est arrivée…

— Elle s'est assise avec vous ?

— Non. Elle est passée plusieurs fois à côté de notre table, et Renato a murmuré : « Quel morceau. » Elle portait une jupe courte qui moulait ses hanches. On aurait dit l'Ève de Dürer, celle du Prado, mais en minijupe. Tu vois ce tableau ?

— Non, mais ta description est claire.

— Elle était parfaite. Elle se déplaçait lentement, avec un léger déhanché, juste assez marqué pour rendre la courbe de ses fesses vivante. Son buste était très droit, sa poitrine haute, et il laissait deviner malgré l'obscurité la taille de ses seins, prisonniers d'un chemisier blanc qui devait être en soie. Elle a tourné la tête vers nous, Renato a serré ma cuisse et a essayé de répéter son commentaire, mais il n'arrivait à produire aucun son, ses lèvres ont simplement articulé un *minchia !* La vache !

— Vous l'avez invitée à votre table ?

— C'est moi qui ai pris l'initiative. Je lui ai adressé un sourire dégagé, même si j'ai dû déglutir plusieurs fois pour réussir à parler. « Je vous en prie, joignez-vous à nous », je lui ai dit. Elle m'a souri en retour et elle s'est assise sur un petit fauteuil à côté des nôtres, avec l'attitude d'une jeune fille de famille respectable.

— D'après le chef de la PJ, elle venait vraiment d'une famille respectable : ses parents étaient des gens durs à la tâche, des ouvriers...

— Je sais. Ils travaillent à Granát Turnov, la plus grande usine de grenats de Tchécoslovaquie. Ils sont spécialisés dans la taille et le sertissage. C'est elle qui me l'a raconté, elle en était très fière. Elle espérait pouvoir les convaincre un jour de venir la rejoindre en Italie... Finalement, c'est elle qui va retourner là-bas.

— Continue de me la décrire, s'il te plaît. Aide-moi à comprendre.

— Physiquement, tu veux dire ?

— Un peu tout. Des détails, ses habitudes, les personnes qu'elle fréquentait...

— Je me souviens de sa peau...

— Je voulais dire des détails qui peuvent m'être utiles, Bruno.

— Veruschka portait un très beau collier rouge sang, un cadeau de ses parents quand elle a quitté Prague pour venir s'installer ici.

— Elle le portait souvent ?

— Toujours. Même au lit.

J'eus un temps d'arrêt, puis demandai :

— Je peux passer un coup de fil ?

— Bien sûr.

Le téléphone était posé sur une console Bauhaus aux lignes épurées. Je composai le numéro du standard du commissariat et demandai à parler à Gualtieri. Il me répondit sur-le-champ, avec sa courtoisie coutumière :

— Quoi ?

— Excusez-moi de vous déranger. Est-ce que la fille portait un collier de pierres rouges quand elle a été retrouvée ?

— Les concours pour entrer dans la police ont lieu en mai

et en octobre. N'oublie pas de t'inscrire et, si tu as besoin d'aide pour te préparer, n'hésite pas à me…

— Je suis sérieux. Pouvez-vous vérifier dans son dossier ?

— Pourquoi ?

— Ça pourrait être utile.

— Pour qui ? Toi ou moi ?

— Tous les deux.

— Allez, va, je vais faire comme si tu étais crédible.

J'entendis un cri atténué par une main qui couvrait à demi le combiné :

— Zoller, apporte-moi le dossier Němĕček !

La suite ne me parvint pas. Les sons se firent confus, mais je compris qu'ils étaient en train de chercher dans la paperasse. Au bout d'une minute, pendant laquelle j'adressai plusieurs regards contrits au baron en espérant qu'il serait compréhensif, le chef de la police judiciaire reprit la communication :

— Non. Pas de collier accroché au cou délicat et tuméfié de Vera Němĕček. Où voulais-tu en venir ?

— Nulle part en particulier. Une idée comme ça… Si ce collier n'est pas caché quelque part chez la fille, c'est peut-être l'assassin qui l'a pris.

— Tu veux me faire perdre mon temps ?

— Non, monsieur.

Je baissai la voix pour lui murmurer :

— J'ai trouvé le premier nom de la liste, il est en train de me donner des informations.

Puis je repris un ton normal pour conclure :

— Merci quand même. Je vous rappelle bientôt.

Gualtieri raccrocha sans plus de formalités. J'ignorais si je lui avais été utile ou si je l'avais agacé.

Je regagnai le canapé.

— Veruschka ne portait pas de collier quand elle a été tuée.

— Bizarre.

— Excuse-moi, Bruno, je t'ai coupé avec cette histoire. Continue de me raconter la soirée où tu l'as rencontrée.

— On a parlé de tout et de rien, de Palerme, de Rome, des Italiens. Elle avait étudié notre langue au lycée, à Prague. Puis elle avait suivi des cours à l'Amicale italo-tchèque, financée par le parti communiste. Elle connaissait les noms de Togliatti, Pajetta, Berlinguer, ils lui avaient parlé de l'eurocommunisme.

— Et ce genre de fille était entraîneuse ?

— Elle disait qu'elle voulait changer de vie, tout changer. Elle ne croyait pas dans les valeurs de son pays, qui selon elle était devenu une annexe de l'Union soviétique. Elle était nostalgique de Dubček, même si elle était petite quand les chars russes sont entrés à Prague et ont détruit les hommes et leurs rêves. Elle voulait devenir riche, ici, dans le pays de son idole, la chanteuse Raffaella Carrà.

— Raffaella Carrà ?

— Oui… Ça nous a estomaqués, Renato et moi. Sur le coup, on en a ri. Et puis, en y repensant quelques jours après, on a compris ce que ça pouvait avoir de dangereux.

— Comment ça ?

— Le fait d'imiter un monde qui n'est pas le tien. Raffaella Carrà marchait bien chez eux, ses chansons étaient des tubes. « Tuca Tuca » a eu un énorme succès. Le régime n'avait pas peur d'une blondinette italienne, il la croyait inoffensive.

— Je me souviens de cette chanson. J'étais petit, je ne voyais pas ce qu'il y avait d'amusant.

— Moi si. Et Veruschka rendait cette chanson *vraiment* amusante.

Bruno sortit son paquet de Marlboro et on alluma chacun une cigarette.

Ninetta réapparut derrière nous.

— Voulez-vous que j'ouvre les fenêtres, monsieur le baron ?

— Non merci, Ninetta.

Puis, à mon intention :

— Elle sait que j'aime fumer, mais que je déteste l'odeur

de la cigarette dans la maison. Et elle le sait depuis que j'ai allumé ma première Serraglio à l'âge de quatorze ans.

— Pourquoi Veruschka rendait-elle la chanson « Tuca Tuca » aussi plaisante ?

— Je peux te parler d'homme à homme ?

— Bien sûr, Bruno. Ce n'était pas le cas jusque-là ?

— Si, si, excuse-moi. Mais tu dois me promettre que…

— … c'est comme si cette conversation n'avait jamais eu lieu. Je te le jure.

— D'accord. Elle avait un jeu qu'elle appelait le Tuca Tuca.

— Comment ça ?

— Avec ses clients.

— Attends, doucement. Donc, le premier soir, la table, Renato et toi… Tu as couché avec elle cette fois-là ?

— Oui. Deux cent mille lires. Plus quarante mille au Lady Jim pour les deux tournées de whisky.

— Où est-ce que vous êtes allés ?

— Là où elle voulait, c'est-à-dire chez elle, viale delle Magnolie. Un deux-pièces au cinquième étage d'un petit immeuble qui donne sur des arbres.

— Deux cent mille…

— Je n'ai pas envie de parler d'argent.

— Alors raconte-moi cette histoire de Tuca Tuca.

— Faire l'amour avec elle était une aventure merveilleuse. J'en suis malade qu'elle ait été massacrée. C'est pour ça que je veux tout te dire.

— C'est affreux. J'espère que le ou les assassins seront arrêtés. Et toi tu peux nous aider.

Il jeta un regard derrière moi.

— Ninetta, un autre café s'il te plaît.

— Tout de suite, monsieur le baron.

Je n'avais pas remarqué qu'elle était là, et qu'elle nous écoutait.

— Je n'ai pas de secrets pour elle. Elle m'a vu nu plus souvent que ma mère et que n'importe quelle autre femme.

Je me fis à l'idée qu'un témoin allait entendre le récit des souvenirs les plus intimes du baron.

Il reprit :

— Le Tuca Tuca... elle se déshabillait complètement et me disait de faire pareil. Après, elle tamisait la lumière en couvrant l'abat-jour. On était chacun debout d'un côté du lit en 120, nus, elle d'une beauté sculpturale, moi avec ma peau et mes poils de quinquagénaire. Mais grâce à la pénombre je n'avais pas de complexes. Et puis Veruschka rendait tout très tendre, naturel, comme si la pudeur n'avait plus lieu d'exister. Le jeu consistait à se toucher de la pointe d'un doigt, chacun depuis son côté du lit, en se penchant en avant. À tour de rôle. À n'importe quel endroit.

Un jeu stupide, comme tous les jeux érotiques quand on n'est pas directement concerné. Je posai la première question qui me passa par la tête :

— Et vous écoutiez Raffaella Carrà ?

— Non. Je n'ai entendu que des morceaux de jazz sur son Revox à bande : c'était le disc-jockey du Lady Jim, un type très pointu, qui les lui enregistrait. Je me souviens de nuits passées sur fond de « Time Out » de Dave Brubeck, des jam-sessions de Miles Davis, Ornette Coleman, Chet Baker... Rien que de la musique interdite en Tchécoslovaquie. Elle savait que le jazz produisait son effet sur certains de ses clients. Elle faisait durer le plaisir, touchait et se faisait toucher comme si le jeu ne devait jamais s'arrêter. Ensuite on passait à deux doigts, puis trois... puis des caresses avec la paume de la main. Enfin, on se couchait sur le lit et on faisait l'amour. Longtemps, doucement, en savourant notre plaisir.

— Votre plaisir ? Tu veux dire qu'elle en éprouvait aussi ?

Bruno passa une main dans ses cheveux en regardant au-dehors. L'orangeraie silencieuse était là, sous ses yeux. Ces arbres devaient lui faire du bien, car il se tourna vers moi avec une énergie renouvelée et soupira :

— Elle jouissait.

— C'était une professionnelle. Elle faisait semblant de jouir.

— C'était une professionnelle, mais pas seulement. Elle s'impliquait sentimentalement.

— Comment tu peux en être sûr ?

— Elle m'embrassait.

— Tu plaisantes ?

— Je te le jure. Elle m'embrassait avec la langue.

— Et les baisers sont ce qu'il y a de plus intime… fis-je, reprenant une phrase que me répétait une fille autrefois aimée pour rien, qui m'avait enfermé dans un monde de baisers.

Jamais rien de plus, mais peu importe puisque *les baisers sont ce qu'il y a de…*

— Tu vois ? Toi aussi tu le sais.

J'acquiesçai et décidai de croire à l'histoire de Bruno.

Veruschka aimait les hommes. Elle aimait Bruno. Et lui était fou d'elle.

Cet amour fou se lisait ce jour-là dans le regard affligé de l'oncle de mon ex-copine, le baron Bruno Capizzi di Montegrano, gentilhomme endeuillé.

Appartement de Veruschka, 20 h 30

L'INTERPHONE SONNA.

— C'est moi, dit le garçon qui voulait devenir avocat.

Vera s'étonna : quand il lui avait dit qu'il viendrait, elle ne l'avait pas cru. Elle aurait voulu lui dire *monte*, mais le gentil garçon pouvait arriver d'un instant à l'autre.

— Je descends.

Dommage, pensa le garçon qui deviendrait avocat. Il rêvait de se retrouver au lit avec elle, dans cet appartement dont la chambre donnait sur la cime du magnolia.

Vera s'habilla à la hâte, enfila un pull sur sa peau nue, et descendit l'escalier quatre à quatre.

Le coude posé sur le toit de sa voiture, il la regarda sortir. Elle s'arrêta sur le seuil, lui sourit. Il resta immobile, comme si la perfection de cette scène l'empêchait de bouger. Le sourire de Vera, le pull sur sa peau, les arbres tout autour. Si l'extase de l'attente existait, il était en train de la vivre.

Il imaginait qu'elle allait le serrer dans ses bras et que leurs lèvres s'effleureraient. Pendant un instant, il crut que c'était lui, l'homme que Veruschka désirait. Après tout, il le méritait. Mais il se fourvoyait. En futur avocat, il aurait dû pourtant comprendre qu'il n'obtiendrait jamais gain de cause. Vera n'appartenait à personne.

— Salut, c'est bien que tu sois passé, lui dit-elle, pensant le contraire.

Cette visite la flattait, mais elle ne voulait pas qu'il s'attarde alors que le visage aimable du gentil garçon pouvait apparaître d'un moment à l'autre au coin de la rue. Ils échangèrent quelques mots, il tendit sa joue vers Vera, en quête d'un baiser qu'elle ne lui donna pas.

Puis elle dit :

— Merci d'être venu, on se reverra bientôt, mais il faut que je me prépare pour aller au travail.

Le garçon qui deviendrait avocat fit démarrer nerveusement sa voiture et s'engagea dans la via Sciuti à toute allure en maudissant le travail qu'elle faisait, qui la rendait inaccessible et tellement attirante. *Il va falloir que les choses changent*, conclut-il en silence.

Quand elle rentra dans son appartement, elle se dit que l'autre garçon était gentil mais pas très ponctuel. Elle regarda la pendule : 8 h 45. Il lui avait dit qu'ils dîneraient ensemble. Veruschka n'avait pas spécialement faim, mais une nuit de travail l'attendait, mieux valait grignoter un bout. *Et s'il lui était arrivé quelque chose ?* Elle chassa cette question : les idées noires n'avaient pas leur place chez elle. Elle consulta à nouveau la pendule puis ferma son journal. Elle y avait raconté ses dernières semaines, son amitié avec le gentil garçon et le jeune avocat. Elle retira son pull et enfila un T-shirt blanc décolleté et un pantalon en stretch. Elle frissonna, la tenue était trop légère.

Un peu de jazz tuerait l'attente. Elle s'empara d'une boîte carrée où la bande était rangée. Sur le côté, il y avait écrit : *Duke Ellington*. Elle plaça la bande sur le lecteur, appuya sur la touche « play » et les notes de piano s'élevèrent. Des notes douces. Elle aimait le piano. Sa musique la transportait sur la scène d'un théâtre. Un homme était assis devant un superbe piano à queue, les pans de son frac effleurant le sol. Dans ce monde imaginaire, elle était danseuse, son corps virevoltait comme une note. Un *sol*. Vera n'avait jamais fait de danse, mais la musique diffusée par son lecteur Revox la consolait de ces soirées palermitaines où les hommes se disputaient son corps.

Elle était certaine que tôt ou tard elle serait dédommagée de toutes ces soirées. Elle obtiendrait la récompense que le destin lui gardait en réserve. Une vie nouvelle, loin des mains avides et rugueuses d'hommes riches comme Sferlazza, qui, heureusement, n'avait pas touché son corps nu. Fréquenter des hommes gentils et généreux, d'accord. Mais l'un d'entre eux l'aiderait-il à réaliser son rêve ? Veruschka voulait travailler à la télévision, et la télévision était à Rome. Au studio du Teatro delle Vittorie, ainsi que les présentateurs l'annonçaient avant qu'entrent en scène des actrices en tenues moulantes et des chanteuses qui semblaient incarner l'essence même de la musique. Il y en avait une qui s'appelait Alice, grande, brune, et sexy, comme toutes les femmes que Veruschka aurait voulu être. Elle avait une voix rauque et profonde, aux inflexions tendres. Une fois, Veruschka l'avait vue en duo avec Raffaella, sa Raffaella Carrà. La femme sexy et la blonde pleine d'entrain. La chanteuse et la danseuse. Veruschka était persuadée qu'elle finirait par trouver l'homme qu'il lui fallait. Il aurait les bons contacts à Rome, et il lui dirait : *Laisse tomber tout ça, Vera. Je t'emmène à la télévision, je te présente au réalisateur. Tu vas danser, chanter... Fais ce que tu sais faire, je m'occupe du reste.* Où était cet homme ? Où était la générosité légendaire des Italiens ? Elle mettait de l'argent de côté. Mais elle mettait aussi son rêve de côté. Et le gentil garçon n'arrivait toujours pas. Qu'est-ce qu'il faisait ? Heureusement, elle n'avait pas très faim et le piano jouait.

Le chagrin de Bruno Capizzi di Montegrano me fit comprendre qu'il ne fallait pas juger Veruschka. Cette fille était une sorte de sentence sans appel. Peine de volupté à perpétuité, sans évasion possible. Avant de me dire au revoir, le baron m'informa qu'il avait un ami qui pourrait m'en dire plus sur elle. *D'autres récits d'un Alcatraz sentimental*, pensai-je.

— Je vais lui demander s'il veut bien te rencontrer. Sur le même principe que nous, évidemment : on ne s'est jamais vus et on ne s'est jamais parlé…

Je le rassurai, nous nous embrassâmes et je le laissai en haut de son escalier, à l'endroit précis où il m'avait accueilli.

Je me dirigeai vers le journal en suivant la via Resuttana puis le viale Libertà. Une Alfa sortit sans crier gare du portail des salésiens pour s'insérer dans le trafic. Je dus piler pour ne pas lui rentrer dedans. Par la vitre baissée, j'aperçus le profil du conducteur, un quadragénaire déjà chauve qui fumait, le bras le long de la portière. J'échouai à attirer son attention, et il s'éloigna, me laissant le cœur aussi tambourinant qu'un solo de Buddy Miles. Dix minutes après, j'étais au journal, trempé de sueur sous ma veste. Ce printemps était un pendule météo : il oscillait d'heure en heure entre le froid résiduel de l'hiver et la promesse de la chaleur estivale à venir. Reina m'accueillit avec son affection habituelle en écrasant une MS, sans doute la centième de la journée, dans le cendrier en métal fixé sur son bureau :

— Tu as trouvé la liste ?

Salvatore Rosciglione, son adjoint, me regarda de travers sans essayer de cacher son antipathie à mon égard. Je ne comprenais pas. Mon âge et, surtout, la précarité de mon statut ne représentaient un danger pour personne dans cette rédaction, pas même pour les *sigarettai* chargés de nous apporter les paquets de Marlboro à deux cents lires fabriqués en Turquie. Pourtant, Rosciglione continuait à se montrer hostile.

Je m'adressai à tous les deux :

— Je suis en train de la constituer. En tout cas, j'ai appris des choses sur les habitudes de la fille.

Le rédacteur en chef des faits divers leva sur moi des yeux curieux, puis jeta un regard à la grande horloge qui trônait sur le mur.

— Raconte, Salinas, on a peut-être encore le temps de pondre quelques lignes.

— C'est un peu long.

— Ça, c'est à moi de voir. Raconte, je te dis.

Bien reçu. Je lui narrai l'histoire du collier de grenats et fis allusion au jeu érotique sans le nommer, car je tenais à garder quelques cartouches pour le lendemain, si jamais je ne trouvais pas mieux à me mettre sous la dent d'ici là. Reina m'écouta sans mot dire ni prendre de notes et, quand j'eus terminé, il me demanda ma source.

— Évidemment, je ne peux pas te le dire.

C'était la formule qu'on m'avait apprise.

— Évidemment, répéta son adjoint en articulant à l'excès.

— Continue tes recherches, me dit le chef, on fera le point demain. Aujourd'hui, j'ai fait écrire un article type à Di Falco, le gamin que la rubrique culture nous a envoyé.

— Tu veux que je le relise pour vérifier les noms et les faits ?

— Il est déjà parti à la typo. *Alea jacta est.*

— *Alea jacta est ?*

— C'est une demi-*schifìa*, bourrée de mots compliqués que j'ai dû traduire en italien.

Je souris : j'étais passé par là moi aussi, j'imaginais bien ce que Di Falco devait éprouver.

— Disparais, maintenant, conclut-il. Trouve les autres types de la liste, on se tient au courant.

Rosciglione me suivit des yeux jusqu'à la porte.

Je m'attendais à retrouver Lilli à l'appartement, mais c'est sur Serena que je tombai.

— Salut, le journaliste ! me lança-t-elle en me voyant entrer dans le salon.

Cicova, lui, miaula.

La copine de Fabrizio était sur le canapé, blottie sous un plaid, un livre à la main. J'entrevis des bretelles fines sur ses épaules menues : elle portait probablement un débardeur. Je réussis à déchiffrer les derniers mots du titre : *légèreté de l'être*.

— C'est quoi ce bouquin ?

— Un roman de Kundera, un écrivain tchécoslovaque qui vit en France.

— Décidément, les Tchécoslovaques sont à la mode, en ce moment.

— Qu'est-ce que tu racontes ?

— Je m'occupe du meurtre d'une fille de Prague.

— Je ne veux rien savoir. J'ai déjà assez pleuré avec ce livre.

— Il parle de quoi ?

— D'amour. Si tu sais pas ce que c'est, je peux t'expliquer.

Elle me sourit, comme si elle tenait un arc et que j'étais une pomme. Transpercée de part en part.

Elle se mit à genoux sur le canapé. Bien vu, pensai-je, elle est en débardeur, et sans soutien-gorge. Presque aucune de nos amies n'en portait. À l'époque, certains objets jugés inutiles étaient socialement bannis. De fait, les bikinis coûtaient deux fois trop cher car la plupart des filles que je connaissais ne portaient pas le haut. Du moins à nos âges, sur nos plages et dans le cercle que je fréquentais.

— Tu veux m'expliquer quoi, au juste ?

— Plein de choses. Je t'observe souvent, tu sais.

— Et qu'est-ce que tu vois ?

— Un type qui joue.

— Avec les femmes ?
— Tu ne te donnes jamais à fond. Tu ne prends aucun risque.
— Holà ! Je fis un geste théâtral, comme si je chassais des mouches imaginaires.
— Serena, me fais pas le coup du : je ne sais pas aimer, j'utilise les filles…
— C'est le contraire, justement. Ce sont les femmes qui t'utilisent : tu joues, mais c'est elles qui gagnent.
— Pourquoi tu dis ça ?
— Toutes tes copines pensent la même chose. J'en parlais l'autre soir avec Ilaria, tu vois qui c'est ?
— Ilaria, la copine de ma sœur ?
— Oui, l'archéologue. Elle m'avait invitée à une soirée entre filles. D'ailleurs, elle va partir à Paestum, elle a été prise dans un chantier de fouilles pour l'université de Lyon.
— Qu'est-ce qu'elle a dit sur moi ?
— Que tu es un mec intéressant, dommage que tu te laisses *assujettir*. C'est une intello, elle utilise des expressions particulières, moi je dirais plutôt que tu es un beau jouet. Tu le prends pas mal, j'espère ?

Elle prononça le mot *jouet* en me regardant droit dans les yeux. Le *j* donna à sa bouche la forme d'un baiser.

Moi, un jouet pour filles ? La copine de Fabrizio commençait à me taper sur les nerfs. Je lui souris, dans l'espoir que mon attitude désamorcerait ses accusations. Raté : mon sourire était terriblement crispé.

— Ne te vexe pas…

Elle posa son livre et se dégagea du plaid : elle était en culotte.

— Je te jure que je le prends pas mal, mentis-je.
— C'est ta façon d'être. D'un côté ça te rend attachant.

Attachant. Tout mais pas ça.

— Sansommeil, détends-toi et viens t'asseoir.

Elle tapota le divan à côté d'elle en me lançant un regard de Mère Teresa ou, pire, de dresseuse de chiens.

Voulait-elle secourir mon ego, panser mes plaies en dissimulant son arme, ou me dresser comme un boxer ?

Je m'assis. Après un temps de réflexion, je lui demandai :

— Et Lilli dans tout ça ?

Je prononçai son nom comme une preuve que la défense sort au dernier moment pour démonter l'accusation. Le coup de théâtre final qui arrache aux jurés un grand *Oh!*

Sur Serena, ce fut sans effet.

— Tu crois qu'avec elle c'est différent ? Pas du tout : elle t'a pris et elle te tient.

Ses deux mains enserrèrent légèrement mon cou. Elle aussi donnait dans le théâtre, histoire de dédramatiser. Ce geste la fit se rapprocher dangereusement de moi, elle pressa sa poitrine contre la mienne et je sentis ses seins, dont je connaissais par cœur la forme et la rondeur.

Nos visages étaient très proches ; tout en maintenant une légère pression autour de mon cou, elle avança lentement les lèvres vers moi jusqu'à les poser, puis les écraser sur ma bouche. J'entrouvris les miennes pour l'accueillir, rien n'est plus doux ni plus intime que ce geste. J'avais envie de lui dire que je n'avais rien d'attachant, que j'étais un vrai mec capable de profiter de la situation. Un combattant prêt à affronter son destin, par un après-midi censé être réservé à une autre. Je fermai les yeux et attendis quelques secondes.

Elle éloigna ses lèvres.

— Tu as une belle bouche, le journaliste, dit-elle en se retirant.

Je me retrouvai comme un con qui essaye de boire à un robinet cassé.

J'analysai la situation : Fabrizio était à son cours de spécialisation, Lilli n'allait pas tarder à rentrer de la librairie où elle travaillait. C'était mieux comme ça.

Je regardai son visage. Si des extraterrestres m'avaient demandé de leur décrire des lèvres, j'aurais pris celles de Serena en exemple. Elles étaient pleines, leur couleur naturelle évoquait un fruit mûr, entre la pêche et l'abricot. Ces lèvres-là m'avaient embrassé. Ou, plutôt, elles s'étaient longuement et délicatement posées sur les miennes. Une empreinte symbolique mais profonde, au point que je crus qu'elle avait atteint mon âme. Malheureusement, Ilaria et Serena avaient peut-être raison : j'étais un garçon à la merci du genre féminin.

— On ne peut pas faire ça, dis-je inutilement, puisque c'était elle qui avait tout décidé.

Entre un homme et une femme rien n'est plus mensonger que le verbe *pouvoir*, même si par commodité on l'emploie souvent à la place de *vouloir*, beaucoup plus sincère.

Serena et moi pouvions. Le seul bémol c'est qu'elle ne voulait pas. Point.

Elle se leva sans rien dire, me sourit une seconde fois en laissant un vide sur le canapé. Elle s'enroula dans le plaid et se dirigea, pieds nus, vers la chambre de Fabrizio.

— Tu devrais le lire, cet écrivain tchécoslovaque. Peut-être que tu pleurerais aussi, dit-elle en me montrant le livre. Puis elle disparut.

Il aurait fallu que je travaille, que j'organise mes notes sur Veruschka, mais pendant vingt minutes je ne fus capable de rien. J'avais l'impression que ses mots et son baiser interrompu m'avaient marqué au fer rouge. Et je commençais à brûler. Il ne me restait qu'à attendre que la température redescende.

Une heure plus tard, Serena sortit. Je la saluai, laissai tomber mon stylo-bille sur le bureau jonché de feuilles, et allai m'allonger sur le lit.

Le téléphone sonna.

Je décrochai le Grillo posé sur ma table de nuit.

— Bonjour… j'ai eu votre numéro par le baron Capizzi di Montegrano… Bruno, vous voyez de qui je parle ? Je vous dérange ?

Une voix d'homme. Mûre mais hésitante.

— Vous ne me dérangez pas, répondis-je. Mais qui est à l'appareil ?

— Je suis, enfin j'étais…

Il s'interrompit.

— … J'étais un ami de Veruschka.

— Pouvez-vous me donner votre nom ?

— Bruno m'a dit que je pouvais compter sur votre discrétion…

— Absolument.

— Je m'appelle Giovanni Vassallo, dit-il dans un soupir, vous connaissez peut-être ma galerie : Le Trifoglio, via Gaetano Daita ?

— Oui.

C'était une petite galerie spécialisée en art contemporain, dont le propriétaire était effectivement un ami de *tonton* Bruno. Il avait organisé, dans l'indifférence générale, une exposition sur Hans Hartung. Une vingtaine d'œuvres des années 1950, que certains critiques locaux qui ne juraient que par le figuratif avaient qualifiées avec mépris de *minchiate*.

— Que puis-je faire pour vous, monsieur Vassallo ?

— Rien. Ce qui n'aurait jamais dû arriver est malheureusement arrivé.

— De quoi parlez-vous, au juste ?

— De Veruschka, soupira-t-il à nouveau. J'ai besoin de me confier.

— Si cela vous convient par téléphone, je vous écoute.

— Je préférerais que vous passiez chez moi.

— Très bien, j'arrive.

Je regardai la pendule : il était déjà 16 heures. Lilli n'était pas rentrée, Fabrizio non plus, et Serena venait de partir. C'est Cicova qui garderait la maison, on pouvait compter sur lui.

— Je vous attends dans une heure. Vous connaissez l'adresse, n'est-ce pas ?

— Oui, à tout à l'heure.

Je rabattis le combiné, et le Grillo retrouva sa courbe sensuelle.

Je tenais le deuxième nom de la liste.

Je passai d'abord à la rédaction. Le seul bruit qu'on entendait provenait des faits divers, où Valeria d'Assunto, une fille de Raguse un peu plus âgée que moi, tapait frénétiquement sur son Olympia.

— Salut, tu travailles encore ?

— J'ai cinquante lignes à écrire pour *Paese Sera*. Ils veulent des déclarations d'hommes politiques siciliens sur le Haut-commissariat à la lutte antimafia.

Je repensai au type de l'hôpital : *Haut, haut... ça reste à prouver.* Je posai mon blouson sur le bureau de Rosciglione, aussi étincelant qu'un miroir. Je le regrettai aussitôt, cet homme avait une telle terreur des maladies qu'il le nettoyait tous les jours à l'alcool. À cette heure, l'odeur était sans doute partie, mais je ne voulais pas risquer de sentir l'hôpital.

— Et toi ? me demanda Valeria en s'interrompant un instant.

Elle était célèbre pour ne faire aucune coquille. Ses articles étaient parfaits avant même qu'elle les écrive.

— Moi, toujours pareil. Veruschka.

Je m'assis sur la chaise en face de son bureau.

— Il y a du nouveau ?

— J'ai peut-être trouvé un de ses clients.

— Ah.

Elle recommença à taper sur le clavier. Les crimes et délits la laissaient de marbre, sa passion à elle c'était la politique. Valeria était une Sicilienne atypique. Elle n'avait aucun accent. Et puis elle était blonde aux cheveux courts, avec des yeux noirs qui contrastaient avec son teint pâle. Elle était allée au lycée à Rome, où elle avait intégré la FGCI, la fédération des jeunes communistes ; au bout d'un an le groupe l'avait élue déléguée des établissements scolaires de la ville. Elle avait ensuite commencé à collaborer avec l'*Unità*, et à vingt ans à peine avait été envoyée à Palerme pour suivre l'actualité politique depuis notre rédaction. On s'entendait bien, elle riait volontiers à mes blagues tandis que j'acceptais ses cadeaux étranges, un Bic usé ou un exemplaire de la *Repubblica* de la veille, dont elle avait entouré certains titres délicieusement incongrus.

Deux fois, après d'éprouvantes journées de travail, nous avions couché ensemble. Je considérais notre amitié comme une sorte d'assistance mutuelle.

— Qu'est-ce que tu penses de cette affaire ?

Le rythme auquel elle écrivait relevait davantage de la machine que de l'humain. Mais elle s'interrompit.

— Je ne sais pas quoi en penser.

— Moi c'est pareil. Ce que m'a raconté ce type est absurde

— Qu'est-ce qu'il t'a dit ?

— Qu'elle l'embrassait, qu'elle avait des orgasmes.

— Et alors ?

— Veruschka était une pute.

— Et alors ? répéta-t-elle sur un ton vaguement provocateur.

Elle plissa les yeux, et ce fut comme si ses doigts s'enfonçaient dans mon torse.

— Ben tu sais comment elles sont, ces femmes.

— Franchement, je n'en sais rien.

— Elles mentent, elles simulent, elles font croire à leurs clients ce qu'ils ont envie de croire.

Le regard de Valeria revint vers le chariot de l'Olympia. Je l'ennuyais déjà. Elle releva les yeux :

— Et toi, tu as quelques pistes ?

Je réfléchis un instant et répondis en toute honnêteté :

— J'ai une seule certitude. Ça pourrait être n'importe qui.

— C'est un bon point de départ, dit-elle sans ironie.

Elle se remit à écrire. Je devais vraiment être barbant.

Je me levai et lui demandai si elle savait où était le chef.

— Tous partis, dit-elle sans lever le nez de son texte. Si c'est urgent, tu le trouveras via Meccio, dans la salle des paris.

Comme beaucoup de journalistes qui avaient grandi en ville durant les années difficiles de l'après-guerre, Antonio Reina aimait parier aux courses. Devant les bookmakers, les petites vérités se révélaient : il y avait ceux qui étaient au bord de la ruine et ceux qui avaient les bons tuyaux, ces gens à qui on murmurait à l'oreille le nom du bon cheval dans la bonne course. Les premiers s'approchaient prudemment du guichet, comme si, à l'image de leur vie, il pouvait exploser à cause d'une erreur de trop, une erreur fatale. Les autres fanfaronnaient et sortaient de leur poche un bout de papier avec les bons numéros : chevaux gagnants, destins glorieux, gain assuré. Mais, les tuyaux en or, on les trouvait à l'hippodrome de la Favorite. Tout se jouait là-bas, entre les écuries et les paddocks. Les salles de paris étaient des constellations périphériques, des galaxies lointaines. Ceux qui appartenaient au monde des sulkys et des étrilles étaient les seuls à connaître la vérité : ce cheval est un battant, cet autre non. Via Meccio, où le rédacteur en chef jouait son argent avec une vaine parcimonie, les tuyaux pouvaient être bons, mais jamais gagnants.

Quand je le rejoignis, il écoutait le commentaire radio de la troisième course de la Favorite. Pégase volait vers la victoire, Radici était à la deuxième place, c'était une course de gentlemen, de drivers amateurs : médecins, avocats, propriétaires terriens, à chacun son cheval et son rêve. Celui de Reina se brisa avec la remontée en troisième position de Sant'Anselmo, un bai qui selon le chroniqueur avait un missile dans le sulky. Il sécha les deux chevaux qui le précédaient, les reléguant à la deuxième et troisième place. Reina resta de marbre, il froissa son ticket Pégase gagnant et visa la corbeille d'osier verte remplie de boules de papier.

Je compris d'où lui venait son habitude, au bureau, de faire des paniers avec des articles en boule.

— Pardon, chef…

Il se retourna.

— Sansommeil ! Qu'est-ce que tu fais là ?

— Valeria a vendu la mèche. Je voulais te dire que je vais chez un deuxième client.

Il me regarda et se ranima. Par chance, Pégase était passé aux oubliettes.

— C'est qui ?

— Un commerçant.

— Son nom ?

— Je te raconterai tout à la fin.

Il sourit. C'était lui qui m'avait dit un jour que les sources ne se révèlent pas. Pour moi, c'était devenu parole d'Évangile.

— D'accord, tiens-moi au courant. N'oublie pas que cette histoire peut nous faire vendre pas mal d'exemplaires en plus.

J'acquiesçai, sortis et enfourchai ma Vespa.

La via Gaetano Daita était une petite rue parallèle à la via Libertà, avec des trottoirs étroits et des immeubles fadasses datant de la première moitié du XXe siècle. Dans ces années-là, le reste du monde construisait des merveilles ; à Palerme, on essayait de fabriquer de l'insignifiant : opération totalement réussie pour les bâtiments de la via Daita. Le Trifoglio de Giovanni Vassallo se trouvait au rez-de-chaussée du numéro 48, dans un des quartiers les moins appropriés pour une galerie d'art. Tout près du Borgo Vecchio, derrière le port, se tenait un marché alimentaire où l'on vendait à n'importe quelle heure du jour et de la nuit des maquereaux grillés, des oignons au four, des *domestiche* bouillies – un type d'artichaut allongé et sans épines – et des pommes de terre blanchies dans des marmites médiévales. Aucun Palermitain n'a jamais réussi à retrouver sur ses fourneaux le goût et la consistance de ces patates achetées dans la rue. Inutile d'essayer de rivaliser : les pommes de terre bouillies du Borgo étaient invincibles.

La galerie de Vassallo se trouvait à quelques dizaines de mètres de ce souk culinaire. Elle donnait sur la rue, entre la boutique d'un réparateur de télés et deux persiennes mi-closes qui cachaient l'atelier d'un couturier.

La toile exposée en vitrine représentait trois bonshommes qui semblaient avoir été peints par un enfant souffrant de difficultés d'expression.

Un homme d'une cinquantaine d'années à la peau mate se faufila entre deux Fiat 127 garées l'une derrière l'autre pour me rejoindre. Il désigna la vitrine et me demanda :

— Ça représente quoi, ce truc ?

Son travai – totalement illégal – consistait à aider les automobilistes à trouver une place de stationnement, voire à la leur garder, contre une petite compensation. Apparemment, il n'avait pas de clients en ce moment.

— Trois hommes, lui répondis-je.

Il se gratta le menton d'un air pensif.

— Sauf votre respect, moi je vois plutôt trois merdes.

Et il éclata de rire, faisant tressauter le sifflet, son outil de travail, qui pendait autour de son cou.

— C'est de l'art contemporain, dis-je pour justifier l'existence du Trifoglio.

— À Palerme, l'art c'est de trouver une place de parking, *non pittare quadri*, pas de peindre des tableaux.

Pas de chance, il avait envie de discuter.

— Excusez-moi, fis-je en indiquant la porte de la galerie dans l'espoir qu'il me lâche.

— Oh! pardon. Moi ça fait un an que je bosse dans le quartier, et tous les tableaux que ce type met en vitrine *a mia mi parono tutte pigghiate pe'fissa.*

— Vous avez raison, il arrive que l'art soit du foutage de gueule, approuvai-je, partagé entre l'envie de couper court et celle d'alimenter le débat.

L'homme fit un geste de la main comme pour dire: *Évidemment que j'ai raison.*

Je lui souris et m'approchai de la porte de la galerie.

— Je suis désolé, mais j'ai un rendez-vous.

— *Manco centu lire*, même pas cent lires pour la place de parking?

— À vrai dire, je suis venu en Vespa.

— Je sais. Ça n'empêche pas qu'il faut la garer.

— Je l'ai mise sur le trottoir.

— Le trottoir est aussi une propriété de la municipalité.

— Mais vous n'avez rien à voir avec la mairie!

— Bien sûr que si. L'autre jour, la fille du maire, celle qui est docteur, je l'ai fait stationner en double file.

Je souris de nouveau, levant les mains en signe de capitulation.

Je cherchai dans la poche de mon jean et trouvai une pièce de deux cents et une de cent.

— Choisissez vous-même, lui dis-je.

Il prit la pièce de cent et me salua avec une sorte de révérence. Il tourna les talons et regagna aussitôt son poste de travail, entre les deux Fiat 127.

Je secouai la tête et abaissai la poignée de la porte vitrée, qui actionnait une sonnette. Le galeriste était ainsi prévenu de l'arrivée d'un visiteur, ce qui, pensai-je, devait rarement se produire.

Un homme, âgé de cinquante ans environ, vint à ma rencontre. Il était grand et mince, il avait le visage marqué par deux rides verticales délimitant deux pommettes saillantes, et des yeux allongés, d'un bleu profond. Il avait beaucoup de charme. Son regard doux croisa le mien ; il me suffit d'une fraction de seconde pour voir l'immense tristesse qui s'en dégageait.

— Je vous attendais, me dit-il.

— Bonjour, monsieur Vassallo, lui répondis-je en lui tendant une main qu'il prit sans serrer, comme s'il était à bout de forces.

— Suivez-moi.

Il me conduisit dans un petit salon. Son bureau XIXe détonnait avec les tableaux accrochés aux murs de la galerie, une vingtaine de toiles de taille moyenne, sans cadre, où prédominaient trois couleurs : rouge, bleu et jaune.

— Appel. Le peintre se nomme Karel Appel, me dit-il, quand il remarqua que mon regard butait sur une espèce de coq démantibulé.

— C'est intéressant.

Que dire d'autre ? Les morceaux de l'animal évoquaient une boucherie joyeuse. Je ne comprenais pas d'où venait cette joie.

— Installez-vous. Vous voulez un café ? Celui du bar à l'angle est très bon.

Je n'eus pas le temps de répondre qu'il avait déjà composé le numéro.

— Toto ? Deux expressos Stagnitta, j'y tiens. Oui, merci.

Il raccrocha et se tourna vers moi :

— Il me demande toujours si je veux un verre d'eau. Moi je bois de l'eau avant de prendre le café, pour me préparer le palais.

Moi en revanche j'en buvais après, sans doute pour atténuer l'amertume tenace que la forte concentration du café palermitain, sucré ou pas, laisse en bouche.

— Je vous écoute, monsieur Vassallo.

— Merci d'être venu.

Il s'assit et remit en ordre les papiers posés sur son bureau, pourtant déjà bien rangé. Il écarta le col montant du pull marron léger qu'il portait sous sa veste de velours beige.

— Vous vouliez me parler de Veruschka…

— Pfu…

Un soupir qui devait vouloir dire oui.

La sonnette annonça l'arrivée du garçon de bar. Il portait un plateau rond en métal avec deux tasses de porcelaine blanche épaisse et usée, signées Stagnitta. Quand il l'eut posé, Vassallo lui tendit deux pièces de cent lires :

— Garde la monnaie.

Le garçon, qui devait avoir une douzaine d'années, lui sourit, tira sur son tablier et fila.

Le bruit de la sonnette nous confirma que nous étions à nouveau seuls.

— Vous me disiez que Veruschka…, repris-je, bien qu'il ne m'ait encore rien dit.

Il but son café d'un trait pour se donner du courage.

— Pfu…

— Pfu quoi, monsieur Vassallo ? Vous ne souhaitiez pas me parler ?

Mon ton impatient ne lui échappa pas.

— Si, bien sûr. C'est que je... elle et moi... enfin, Veruschka et moi étions une seule et même chose.

— C'est-à-dire ?

— Nous étions amoureux.

Encore un.

— Expliquez-moi.

— Je sais que Bruno vous a raconté ce qui s'est passé quand elle est arrivée à Palerme. La nouvelle s'est répandue comme une traînée de poudre, et a fini par me parvenir. Ma femme et moi sommes séparés. J'ai deux enfants qui n'ont pas loin de vingt ans. J'habite dans un loft via Cantieri avec vue sur la mer. Enfin, de ma terrasse on voit d'abord les grues du chantier, mais à l'horizon il y a vraiment la mer. Le ménage et la cuisine, c'est Concetta, une femme de Borgo Vecchio, qui s'en occupe. Pour le reste je vis en célibataire. Je m'en sors grâce à ma galerie. Mal, mais je m'en sors. À Palerme tout le monde veut du figuratif, moi ma passion c'est l'abstrait.

Mais pourquoi ? avais-je envie de lui demander. J'observai son visage, la verticalité de ses traits à la Giacometti, son regard clair, ses fringues années 1960. Un genre pas très contemporain, mais pas classique non plus. Je m'abstins de le questionner à ce sujet et l'invitai à poursuivre.

— Veruschka, je l'ai connue au Lady Jim, comme tout le monde. On a bavardé devant une bouteille de champagne, puis elle m'a demandé si j'en avais envie. J'en avais très envie. Elle m'a proposé d'aller chez elle, moi je lui ai parlé de ma terrasse avec vue sur la mer, du réveil de Palerme, de l'aube sur les chantiers navals. Il faut dire qu'il était déjà 3 heures du matin. Elle m'a souri tendrement et m'a dit que oui, qu'elle voulait bien venir. C'était la première fois que je recevais une femme aussi belle. J'espérais que tout serait en ordre, que Concetta était passée pour ranger mon bazar. Dans la voiture, j'ai une BM qui n'est pas toute jeune, mais en bon état, Veruschka a enlevé ses chaussures. Elle détestait les talons. Elle a posé ses pieds sur le pare-brise en découvrant ses jambes, sans faire exprès. J'ai admiré la forme parfaite de ses cuisses, et j'en ai savouré par avance la douceur en fermant les yeux quelques instants. Elle s'en est aperçue, alors elle m'a pris la main et m'a dit: « Bientôt, bientôt. »

— Et ce fut votre première nuit…

— Oui. Elle s'est sentie tout de suite à l'aise chez moi. Elle m'a demandé où étaient les verres, a trouvé du whisky et des glaçons, et nous a servis. On s'est assis sur le canapé face à la baie vitrée qui donne sur les chantiers, enfin, sur la mer. On est restés dans le noir pour mieux profiter de la clarté de la nuit. Les néons des chantiers sont si puissants qu'ils éclairent tout le quartier. Dans le golfe de Palerme, la lune était haute dans le ciel, au-dessus du promontoire du cap Zafferano. Veruschka m'a dit: « Il est joli, ton mur de verre. » Elle voulait dire ma baie vitrée. Je me suis approché d'elle en espérant qu'elle se laisserait embrasser. Et elle s'est laissé faire, avec un grand naturel: un vrai baiser, lent, profond. J'avais la tête qui tournait, heureusement nous étions assis. L'un contre l'autre, mon bras autour de ses épaules, ma main qui cherchait ses seins…

— Et puis?

— Nous avons fini au lit. Enfin, pas tout de suite. D'abord, j'ai pris de mon portefeuille des billets que j'ai posés sur la table à côté du canapé. Je n'étais pas dupe, même si elle m'avait embrassé, Vera restait une professionnelle. Bruno m'avait prévenu: « De toutes mes années de noctambule, jamais je n'ai rencontré de fille aussi spéciale. » Je confirme.

— Pourquoi spéciale?

— Elle savait aimer.

— Ou plutôt elle savait faire croire qu'elle aimait.

— Non, elle ne jouait pas. Je m'y connais un peu. Je la voyais plusieurs fois par mois. Bien sûr, je dépensais beaucoup. Je savais que j'avais mis le doigt dans un engrenage dangereux.

— Vous voulez dire coûteux?

— Coûteux, donc dangereux pour moi. Je subviens aux

besoins de mes enfants, je paye une pension à ma femme, sans compter le loyer de mon appartement et celui de la galerie. Veruschka représentait une énorme dépense, mais c'était aussi ma liberté, ma passion…

Il fit une pause. Son regard se perdit parmi les tableaux accrochés aux murs. Je l'imaginai devant sa baie vitrée, fixant les cimes des grues. Seul.

— Vous la voyiez à quelle fréquence environ ?

— Plus ou moins une fois par semaine.

— Ça vous coûtait presque un million de lires par mois…

— C'est ça. Mais je n'y pensais pas. Quand on était ensemble, j'avais l'impression de vivre une nouvelle vie. Elle me disait que le jour où elle arrêterait elle viendrait habiter avec moi. Ou plutôt qu'on irait à Rome, parce que les spectacles de variétés du samedi soir se font là-bas.

— Et vous croyiez que Vera irait vivre avec vous à Rome ?

— Parfois oui, parfois non.

— De quoi ça dépendait ?

— De son humeur. Ces derniers temps, elle n'avait pas le moral. Quelque chose la tracassait.

— Elle s'est confiée à vous ?

— Elle m'a parlé d'un vieux très riche, qui avait une propriété à la campagne. Il voulait lui donner beaucoup d'argent.

— Et Veruschka ne savait pas si elle devait accepter ou pas…, hasardai-je.

— Il aurait fallu qu'elle se vende définitivement.

— Pour quelle somme ?

— Des dizaines de millions, d'après ce que j'ai compris.

— Que voulait le vieux en échange ?

— L'exclusivité. Comme un concessionnaire Ferrari. Elle avait décidé de ne rien précipiter. Elle avait un peu d'argent de côté, de quoi se débrouiller seule. C'est pour ça qu'elle me disait qu'un jour ou l'autre, nous deux, on…

Il baissa les yeux, avec pudeur.

J'allais prendre congé quand le collier de grenats dont m'avait parlé Bruno me revint en mémoire.

— Vous l'avez déjà vue porter un collier de pierres rouges ?

— Vera ne s'en séparait jamais. C'étaient des grenats que ses parents lui avaient offerts, à Prague. Elle ne portait pas d'autres bijoux, sauf une alliance en or, héritée de ses grands-parents. Pour son anniversaire, en juillet dernier, je lui ai offert des boucles d'oreilles en améthyste. Je savais qu'elle ne pourrait pas les mettre avec le collier de grenats, mais la couleur lui allait si bien… Une fois, j'ai lu dans un journal que selon certains mages l'améthyste est la seule pierre capable de modifier le caractère de celui qui la porte. Moi, pour la sauver, je voulais changer son caractère qui la poussait à se vendre.

Les tableaux d'Appel me semblèrent déplacés avec leurs pitreries loufoques. La confession de Vassallo méritait des paysages mélancoliques, des ciels voilés, des étendues de gris.

L'homme qui se tenait devant moi était tombé amoureux d'une prostituée tchécoslovaque de vingt-sept ans, et l'avait aimée d'un amour profond, sincère. Un amour voué à l'échec, comme beaucoup. Il avait cru pouvoir lui faire changer de vie, imbécile heureux appartenant à cet immense cortège d'hommes qui rêvent de sauver des filles, surtout si elles sont jolies, et il était aujourd'hui incapable de faire son deuil. Cet homme sensible et cultivé sentait une plaie béante dans son ventre, un trou de la taille de la figure disloquée que représentait le tableau accroché au mur. À vue de nez, un trou de 50x70.

— Excusez-moi. Veruschka a-t-elle laissé des écrits ? Vous a-t-elle donné quelque chose de personnel ?

— À part des baisers ?

Je le saluai rapidement et gagnai la sortie. J'avais besoin de parler à des gens heureux.

Appartement de Veruschka, 21 heures

« Satin Doll », poupée de satin, selon le dictionnaire anglais-tchèque, tchèque-anglais. Duke Ellington avait donné de beaux titres à ses morceaux. Vera avait un faible pour « Prends le train A ». *Mais qu'est-ce que le train A ?* se demanda-t-elle en y repensant. Le rythme joyeux du piano et des instruments à vent continuait de se diffuser. Elle rangeait son journal dans le tiroir du meuble à tout faire quand l'interphone sonna. Elle répondit à la seconde sonnerie.

— Monte.

— Merci.

En moins d'une minute, le gentil garçon était devant sa porte. De la même taille que Vera, il avait un physique quelconque, mais des yeux sombres et lumineux qui se plantaient dans les siens :

— Je t'ai apporté des marguerites et quelques biscuits Regina au sésame.

— Entre, je vais mettre les fleurs dans un vase. Merci.

Le gentil garçon lui tendit les fleurs, posa le sachet de biscuits sur le meuble et retira son imperméable, qu'elle accrocha au portemanteau à côté de la porte d'entrée.

— Comment ça va, Vera ?

— Bien. Je me prépare à aller au travail, comme d'habitude.

Elle avait mis les marguerites dans le seul vase qu'elle possédait, un peu court par rapport à la longueur des tiges et trop large pour la quantité de fleurs.

— Excuse-moi pour le retard. J'ai fini à 8 heures, mais après mon père m'a rappelé.

— J'ai cru que tu ne voulais plus dîner avec moi, répondit-elle d'un ton malicieux.

— Arrête, je ne rêve que de ça.

Elle déglutit. Plaisantait-il ? Le garçon gentil savait en quoi consistait son activité professionnelle et comment se passaient ses nuits au Lady Jim.

— Allez, emmène-moi manger dans une pizzeria comme tu me l'avais promis, dit-elle pour chasser ses pensées.

— Je préférerais rester ici. Je peux aller chercher des pizzas à emporter qu'on mangera chez toi, on passera un moment tranquille rien que nous deux.

Il brandit presque son imperméable, comme pour dire : *je l'enfile, je descends, je prends deux pizzas et je reviens tout de suite.*

Veruschka réfléchit un instant. Elle aussi préférait rester à la maison, allumer la télé et bavarder avec lui avant d'aller au Lady Jim. Mais pouvait-elle lui faire confiance ?

Hésitante, elle rangea les biscuits dans le buffet, puis se tourna pour lui répondre.

Il prit les devants :

— De quelle pizza tu as envie ? Végétarienne ? Napolitaine ? Je prends aussi de la bière.

D'accord, se dit Vera. *Va pour la pizza à la maison.*

— Une napolitaine. On mangera en regardant la télé.

Le gentil garçon attrapa son imperméable et se précipita vers la porte.

— Je reviens.

Pourquoi les Palermitains disaient-ils qu'ils revenaient au moment où ils partaient ? Leurs mots contredisaient leurs actes. Leur logique était vraiment bizarre.

Cinq minutes après, l'interphone sonna.

— Déjà de retour ?

— C'est moi, dit le garçon qui voulait devenir avocat d'un ton sec. Tu m'ouvres ?

Vera ne savait que faire. Elle resta silencieuse.

— Veruschka, tu m'entends ? Tu m'ouvres ?

Elle ouvrit.

En deux temps trois mouvements, il était sur le seuil.

— Tu me laisses entrer ? demanda-t-il en souriant.

— Je croyais que tu étais pris, ce soir.

— Je me suis libéré.

Dans quelques minutes, le gentil garçon allait revenir avec les pizzas. Deux pizzas, pas trois. Elle devait se débarrasser du garçon qui voulait devenir avocat.

— Désolée, j'ai un rendez-vous.

— Un client ?

Le mensonge lui apparut comme un moindre mal :

— Oui.

— Il vient chez toi ?

— Oui.

— Alors je m'en vais. Mais ça ne va pas, Veruschka.

— Qu'est-ce qui ne va pas ?

— Il faut que tu arrêtes de travailler. Moi je peux t'aider, ma famille est puissante, je peux faire en sorte que les Palermitains t'oublient, dit-il en la fixant droit dans les yeux.

Vera détourna son regard.

— Un jour, peut-être.

— Quand ? Tu peux me dire quand ?

Le ton du garçon était monté d'une octave.

— Bientôt. Mais pars, maintenant.

Il pivota sur ses talons et dégringola l'escalier. Veruschka entendit la porte d'entrée claquer. *J'y suis arrivée*, pensa-t-elle.

Dix minutes après, le gentil garçon sonna à l'interphone. Un parfum de pizza à peine sortie du four se répandit dans la cage d'escalier. Finalement, Vera appréciait de n'avoir pas été obligée de s'habiller. Elle s'était débarrassée du garçon qui voulait devenir avocat et avait encore plus de deux heures devant elle avant d'aller au Lady Jim. Le début de soirée s'annonçait bien.

— Napolitaine ! claironna le gentil garçon en lui tendant les boîtes.

Vera les ouvrit, prit les deux pizzas et les déposa dans des assiettes en terre cuite.

— J'ai aussi apporté de la bière Messina.

Vera préférait la pils de son pays, une des meilleures au monde. Mais depuis qu'elle était à Palerme elle s'adaptait.

— Merci.

Ils mirent le couvert sur la petite table placée dans un coin du salon. Souriant, il entama sa pizza avec appétit. Elle, elle coupait la sienne en petits morceaux pour la faire refroidir.

— Vera, tu penses t'installer définitivement à Palerme ?

— Non. Mais pour le moment je suis bien ici.

— Alors pourquoi tu ne veux pas rester ?

— J'ai d'autres projets en tête.

Elle croqua un bout de sa pizza, qui avait tiédi.

Il lui adressa un regard triste. Lui ne quitterait jamais Palerme, c'était sûr.

Lilli était assise en tailleur sur le lit quand elle m'annonça :

— J'ai réalisé un truc : je ne supporte plus Serena. Ça ne te dérange pas si je retourne chez mes parents pendant quelques jours ?

— Qu'est-ce qui s'est passé ?

— Rien. On est trop différentes, c'est tout. Je n'ai pas envie de me disputer ni d'être tout le temps en compétition.

— Compétition sur quoi ?

— La musique, les films, la bouffe, les bouquins, les mecs…

— Les mecs ?

— Elle arrête pas de vous comparer, Fabrizio et toi.

— Et alors ?

— Ça m'énerve.

Je pris sa main droite, qu'elle tenait sur son ventre. De l'autre, elle entortillait ses longs cheveux blonds. Je repensai à la poitrine de Serena pressée contre la mienne, sur le canapé.

— Ne le prends pas mal, Lilli. Serena aime bien charrier les gens.

Elle souffla.

J'étais partagé entre l'envie d'être un peu tranquille et le désir que Lilli reste à mes côtés. Elle représentait pour moi un rempart contre l'absurde : c'était ce que j'avais écrit dans la marge du brouillon d'un article sur un homicide, quelques mois avant, quand on commençait à sortir ensemble. Je sentais qu'avec elle je ne pouvais pas faire n'importe quoi. À quoi ça ressemblerait de vivre à trois, Fabrizio, Serena, moi ? À un trio bancal, avec une femme qui tient les rênes, mes horaires insensés, la tentation de rejouer le scénario de *Jules et Jim*, le risque que l'amitié loyale entre Fabri et moi s'effiloche chaque jour un peu plus.

— Lilli, réfléchis-y un peu.

— C'est déjà décidé. Je veux retourner chez mes parents. On se verra autant, de toute façon.

Vu le peu de temps que je passais à la maison, elle n'avait pas tort.

Elle mit les quelques affaires qu'elle gardait à l'appartement dans son sac en toile : une paire de Converse, un crayon pour les yeux, deux livres de Jorge Amado. Elle laissa sa brosse à dents, comme un pari sur l'avenir. J'y comptais : sa douceur était mon oxygène. Je l'accompagnai jusqu'à la porte, où nous échangeâmes un baiser furtif.

Je retournai dans ma chambre et me couchai sur le dos, les yeux rivés au plafond. Cette journée ne pouvait pas finir comme ça.

Un bout de papier qui portait l'inscription *Totino 281283* traînait sur ma table de chevet. C'était le nouveau numéro de mon ami Totino, qui avait récemment aménagé dans un appartement situé sur le Càssaro, le corso Vittorio Emanuele. Il m'avait laissé un message trois jours avant : « Appelle-moi mercredi, je vais faire ma pendaison de crémaillère ».

Il s'était installé au premier étage d'un palais nobiliaire, à mi-chemin entre la via Maqueda et la piazza Marina. La bâtisse avait été construite au début du XVIIe siècle par un de ses ancêtres issu d'une branche indirecte de sa famille, le marquis Tagliabue di Baucuna, dont la descendance génétique s'était éteinte à la fin du XIXe siècle. Ses parents les plus proches étaient les Guardalbene di Santa Flavia, les trisaïeux de Totino. Presque quatre siècles après son inauguration, mon ami avait hérité du palais en question.

On fêtait donc ce soir-là la nouvelle résidence aristocratique de l'aristocrate le plus fantasque de ma génération. Totino était un peu plus âgé que moi, il avait peut-être la trentaine, mais son passé n'avait rien à envier à celui d'un aventurier chevronné : scaphandrier dans le sud de l'océan Indien ; barman à Berlin-Ouest ; modèle dans l'atelier d'une peintre brésilienne à Paris ; entrepreneur dans l'import-export de fleurs à New York au début de l'année 1981, une activité qui l'année suivante avait *fané*, comme il se plaisait à le dire. Il était revenu à Palerme depuis deux ans.

Je composai le numéro.

Il répondit à la quatrième sonnerie.

— Allô, Totino ?

— Oh ! *t'arruspigghiasti*, tu t'es réveillé Sansommeil ! Ça tombe bien, il est presque 8 heures et tout Palerme débarque ici dans moins d'une heure.

— Je voulais te prévenir que je viendrai, mais seul.

— On trouvera quelqu'un pour te consoler.

Malgré son goût pour l'abstraction, mon ami savait se montrer très pragmatique.

— Je t'embrasse.

— Moi aussi. Sur l'interphone, sonne là où il n'y a pas de nom.

— OK, Totino.

Je pris une douche express pour économiser de l'eau : la mairie remplissait les citernes mises à disposition trois fois par semaine, et cette quantité devait suffire pour tous. À l'époque, le bain était un luxe qu'on ne pouvait s'autoriser que quand les colocataires étaient en vacances.

Je changeai de jean, enfilai une chemise blanche et une veste de velours bleu, et chaussai ma sempiternelle paire de Clarks. Ma tenue était peut-être un peu légère pour une soirée printanière potentiellement traîtresse. Mais moi, j'aimerais porter une veste pour aller en soirée : ça donnait du style à ma jeunesse.

Il y avait six boutons et cinq noms sur la sonnette. J'appuyai sur celui à côté d'une étiquette vide.

La grande porte de bois sombre tout éraflé avait perdu sa splendeur XVIIe, mais avait été équipée d'une ouverture électrique. J'entendis un déclic après qu'une voix féminine m'eut crié dans l'interphone :

— Premier étage!

La porte de l'appartement était ouverte. Sur le palier, deux filles discutaient en tirant sur leurs pulls trop grands. Comme je ne les connaissais pas, j'avançai. L'entrée était meublée d'antiquités, dont un banc-coffre à dossier enseveli sous des vestes, des pulls et des sacs en cuir Tolfa. Dans le désordre de ce vestiaire improvisé, je distinguai un bonnet péruvien: les accessoires andins ne cadraient pas avec la soirée, mais au milieu des années 1980 certains refusaient encore de renier leur passé.

Dans le salon principal, « Epitaph » de King Crimson résonnait dans l'indifférence générale. Des dizaines de personnes, pour la plupart debout, bavardaient et riaient. Avec son mètre quatre-vingt-dix, Totino culminait au-dessus d'un groupe à côté d'un des deux balcons bombés en fer forgé qui donnaient sur le Càssaro.

Gaspare Abbagnato, présentateur sur une chaîne de télé privée, s'avança vers moi en me tendant un verre à demi rempli de vin:

— C'est du *nero* de Pachino, bienvenue!

Sa veste bleue brillait tellement qu'elle semblait en papier alu. Je le pris dans mes bras. On jouait au foot ensemble, gamins. De temps à autre, je le voyais à la télévision, mais son humour de bas étage m'agaçait. Je le trouvais meilleur comme arrière.

— Comment tu vas, Asparino?

— *Comme d'hab: au top!* me répondit-il avant d'éclater de rire, fier d'une blague qu'il se faisait à lui-même.

— Au top, répétai-je dans l'espoir de créer une connexion entre ses pensées et les miennes. Échec.

Il s'éloigna.

Après s'être frayé un passage entre ses amis à coups de bises rapides, Totino me rejoignit:

— Super! Sansommeil est arrivé!

Il me donna une bourrade suivie d'une accolade et me

fit une bise sur la joue droite. Une seule bise, à la manière palermitaine.

J'étais content de le voir dans son nouveau royaume.

— Ça fait un bail, dit-il.

— Le travail, la routine.

— On m'a raconté que tu t'agites dans tous les sens à la recherche d'infos sur la fille assassinée.

— C'est vrai.

Je n'ajoutai rien. J'avais envie de penser à autre chose. Je bus une gorgée de Pachino.

— Et sinon, comment ça va ? Tu es toujours avec la blonde que tu m'as présentée ?

— A priori oui.

Ma réponse était débile. D'ailleurs, Totino me regarda comme on regarde un débile.

— Ça veut dire quoi, a priori ?

— Ce que j'ai dit.

Je n'avais envie de parler ni de Veruschka ni de Lilli. Mon ami n'eut pas besoin d'un dessin.

— Allez, suis-moi, je vais te présenter quelqu'un qui va peut-être te *svariare*, te changer les idées. C'est une graphiste qui habite à Rome.

Il me poussa dans la cuisine où une blonde en minijupe discutait avec deux types que je reconnus : c'étaient de jeunes militants communistes que j'avais rencontrés à une manifestation du 1er Mai à Portella della Ginestra. Dans l'ordre chronologique, mon attention se fixa sur la poitrine généreuse de la fille, puis sur ses cuisses fuselées, son rire franc et sa coupe au carré irréprochable. Aucun doute : j'étais ravi de la rencontrer. Le regard que je lançai alors à mon hôte pouvait signifier *merci* ou bien, au choix, *merci beaucoup*.

Totino interrompit la conversation du trio.

— Amanda, Leo, Leo, Amanda. Les autres, je crois que tu les connais.

Les deux jeunes communistes levèrent la main en guise

de salut. Amanda se tourna vers moi pour me saluer. Je pus ainsi découvrir le bleu intense de ses yeux. Chez cette fille, tout obéissait à des règles d'équilibre universelles vouées à démontrer cette évidence : la beauté existe dans la nature, et elle est graphiste de profession.

Les deux communistes, habillés à l'identique – chemise qui dépassait d'un gros pull col en V –, dirent de manière plus ou moins synchronisée quelque chose comme :

— Comment tu vas ?

Je levai mon verre en plastique :

— Très bien !

Amanda se passa une main dans les cheveux : ces politesses entre gamins palermitains devaient l'ennuyer.

Je la regardai dans les yeux et lui demandai ce que je savais déjà :

— Tu es romaine, c'est ça ?

— Oui, répondit-elle en s'accoudant au meuble de la cuisine.

C'était bon signe : elle ne comptait pas s'échapper tout de suite.

— Comment tu le sais ?

— C'est Totino qui me l'a dit. Et que tu es graphiste, aussi.

— Oui, c'est vrai. Je travaille pour un journal.

— Moi, je suis journaliste aux faits divers ici, à Palerme.

— Et moi je m'occupe de la maquette de *Paese Sera*.

Les deux jeunes communistes dirent, à l'unisson cette fois, « Ah ! », lissèrent leurs pulls et s'éloignèrent. Ce devait être des siamois séparés contre leur gré.

Le présentateur télé entra bruyamment dans la cuisine :

— Oh ! les jeunes, ça suffit maintenant !

— Qu'est-ce qu'il y a, Gaspare ?

— Ça suffit les blablas. Venez, j'ai apporté un petit cadeau pour quelques amis.

Il m'adressa un clin d'œil, comme si j'étais censé comprendre.

— Salut, moi c'est Gaspare, fit-il à Amanda en la prenant par la main.

Il nous traîna vers les chambres à travers un couloir sombre. Totino et un couple d'excellente humeur qui tenait un restaurant alternatif sur la piazza Marina surgirent derrière nous. Je déduisis que nous étions le *groupe du petit cadeau.*

Totino alluma la lumière de la salle de bains et nous fit signe d'entrer. On le suivit. Ça ressemblait à une farce, mais personne ne protesta, au contraire. Comme je le réalisai bien vite, quatre personnes sur les six savaient déjà en quoi consistait la surprise, d'où leur enthousiasme manifeste. Le couple se tenait par la main sans arrêter de rire. Gaspare sortit de sa poche un paquet en papier alu aussi grand qu'une carte à jouer sicilienne. Amanda et moi échangeâmes un regard interrogateur.

— Les gars, c'est de la colombienne. De la bombe, murmura Gaspare.

Totino sourit, le couple se broya les mains d'impatience, Amanda et moi échangeâmes un second regard qui, cette fois, contenait une question suivie d'une réponse : *oui ou non ? Oui.*

Je vis Gaspare extraire du paquet un petit caillou blanc, qu'il posa sur un miroir de poche ovale, et une lame de rasoir Gillette. Il réduisit le caillou en un petit tas de poudre et le divisa en six rails. Totino aspira le premier avec un billet de cinq mille lires, puis le passa au couple – lequel arrêta de rire pour ne pas sniffer la coke de travers – ; ce fut ensuite le tour de Gaspare, puis d'Amanda. Elle prit le cinquième rail et me tendit le billet enroulé. Je n'avais jamais goûté à la cocaïne, j'ignorais comment mon corps réagirait. Je sentais monter une sorte d'excitation qui me chauffait les muscles, mais je n'aurais pas su dire si c'était dû à l'euphorie de la première fois ou à la fierté d'appartenir à une poignée de privilégiés choisis par Totino parmi ses dizaines d'invités.

Je fermai les yeux, aspirai par une seule narine. Aussitôt, je respirai mieux, comme si j'avais pris du Vicks.

Nous quittâmes la salle de bains. Je ne sentais rien de particulier. Nous remerciâmes tous Gaspare, puis Amanda me proposa de boire quelque chose. Nous nous préparâmes deux gin tonics sans citron ni glaçons, puis allâmes nous vautrer sur un canapé. Elle me posa des questions sur mon travail, sur la guerre de la mafia, sur les premiers repentis. Elle était très curieuse au sujet de Palerme. Je lui demandai quant à moi de me décrire son journal, dans la tentative de trouver des convergences consolatoires. Nous rîmes des défauts de nos rédacteurs en chef respectifs. Elle embellissait – pour peu que ce soit possible – à chaque nouvel éclat de rire. En parlant, elle me touchait les mains, me donnait des petites tapes complices. Elle se rapprocha pour chuchoter à mon oreille le nom de son film préféré : « *Blade Runner.* » Je lui dis que je l'avais regardé deux fois d'affilée et que j'adorais le happy end avec ce ciel bleu que l'on ne voyait qu'une fois, dans la scène finale ; elle rétorqua que Ridley Scott avait fait une seule connerie dans ce film : le happy end. Nous fîmes semblant de nous disputer sur la question. Moi, je n'arrêtais pas de l'imaginer nue. On ne se posa pas de questions personnelles. Ce soir-là, Amanda et moi n'avions ni histoire, ni famille, ni Lilli, ni petits copains à Rome. Seuls comptaient le présent, la cocaïne prise ensemble et ce flot de paroles qui ne tarissait pas. Je sentais l'énergie circuler dans et hors de nos corps. C'était si bon d'avoir mon âge.

Quand j'eus épuisé mon répertoire de répliques entre Humphrey Bogart et Lauren Bacall, je me tus soudainement. Amanda me regarda, vaguement inquiète.

— Qu'est-ce que tu as ? me demanda-t-elle en effleurant le dos de ma main.

— J'en ai marre.

— De quoi ?

— De parler.

— De quoi tu as envie ?

— De tout le reste, répondis-je d'un ton léger.

Un *reste* qui pouvait signifier prendre une glace ensemble ou bien se lancer dans l'ascension de l'Everest.

— Tu es bête, dit-elle en souriant.

— Tout le reste, c'est toi.

Je la fixai.

Son expression se fit adulte, elle soutint mon regard.

Puis elle se leva et me prit par la main pour me tirer du canapé.

— Suis-moi.

Nous revînmes dans la salle de bains, sans allumer la lumière : cette fois, nous n'avions pas besoin de miroirs. Nous nous embrassâmes dans le noir, arrachâmes nos vêtements comme s'ils étaient en feu, et fîmes l'amour vite, avec furie, moi adossé au mur, elle enlacée à moi, les jambes nouées dans mon dos. Nous restâmes silencieux, agrippés l'un à l'autre, haletants. La première fois est un voyage à part, un voyage en terre inconnue. Ce soir-là, je ne savais pas s'il y aurait une deuxième fois. Nous nous assîmes sur ma veste en velours, cherchant à tâtons l'espace pour nos corps. Je voulais que mon souffle retrouve un rythme régulier. Elle se blottit contre moi, sa poitrine serrée contre la mienne. Je me mis à la caresser d'une main délicate, jusqu'à ce que je sente ses ongles se planter dans mon bras et son corps s'arquer, traversé par un soubresaut. Au bout de une ou deux minutes, Amanda chercha mes lèvres et me donna un dernier baiser, intense, parfaitement liquide. Je parcourus ses courbes : elle était magnifique même au toucher. Ce soir-là, nous fîmes l'amour en braille.

En partant, elle me donna le numéro de l'amie qui l'hébergeait. Elle restait à Palerme pendant une semaine encore. Quelque chose me disait que nous ne nous reverrions pas à la lumière du jour.

Je rentrai à la maison à 2 heures. Il n'y avait personne à part Cicova, qui m'accueillit en faisant le dos rond et en miaulant. Notre chat était à moitié endormi, moi pas du tout. Je jetai ma veste sur le canapé, remplis sa gamelle de croquettes et allai dans ma chambre en espérant que la vue de mon lit agirait comme un somnifère. Que nenni : mes yeux étaient grands ouverts, mon cœur battait à un rythme accéléré et je ne savais pas combien de temps l'effet de la cocaïne allait encore durer. J'en profitai pour mettre de l'ordre sur mon bureau, dans mes notes sur Veruschka. J'aurais aimé pouvoir débouler à la rédaction en disant : *voilà la liste de ses clients*. Ce qui serait revenu à dire : *voilà la liste des suspects*. Si j'avais eu cette liste entre les mains, j'aurais aussitôt barré les noms du baron Bruno Capizzi di Montegrano et du galeriste Giovanni Vassallo. C'étaient des hommes amoureux et endeuillés. Ils voulaient que Veruschka revienne. Malheureusement, son ou ses assassins ne lui avaient offert qu'un aller simple.

Je fermai les yeux et essayai d'imaginer l'instant où elle avait reçu le premier coup. J'aurais aimé avoir des dons de voyance, entrer en communication extrasensorielle avec la victime ou le meurtrier : le rêve de nombreux journalistes et de tous les enquêteurs. Qui avait tué Veruschka ? Je rouvris les yeux et, sur la dernière page de mon carnet, je dessinai un grand point d'interrogation qui ressemblait à un cobra.

Puis je m'écroulai sur le lit et me plongeai dans *Marelle*, un roman de Julio Cortázar qu'un ami du lycée m'avait conseillé. On pouvait lire les chapitres normalement, l'un après l'autre. Quand on arrivait à la fin, on avait lu une histoire. C'est alors que l'auteur proposait une seconde lecture dans un ordre différent, non chronologique, apparemment confus. Si on le suivait, une histoire surprenante, différente de la première, se construisait. Voilà. J'aurais voulu relire la vie de Veruschka selon un schéma à la Cortázar : des faits en désordre qui composaient une nouvelle vie, le bain de sang final en moins. Je finis par m'endormir vers 4 heures en imaginant une suite insensée de chiffres.

Je fus réveillé par la lumière matinale qui filtrait à travers les persiennes et par des voix confuses : Fabrizio, Serena et une troisième personne, de sexe masculin. Leurs voix se superposaient, parfois interrompues par un éclat de rire. Nous avions un invité.

Quelques minutes après, je fixais la flamme sous la cafetière Bialetti d'un œil catatonique. Le café était sur le point de sortir et je ne voulais pas que des gouttes tombent sur la gazinière, car je n'étais pas en état de les nettoyer. Je consultai ma Timex : 7.04. J'avais dormi trois heures. Dans vingt minutes, je devais être dehors. Amanda était un point vague dans le brouillard des souvenirs nocturnes.

— Y en a pour moi aussi ?

Je me tournai. Un type maigre vêtu d'un caleçon Paul Boy et d'un T-shirt sans doute blanc à l'origine était appuyé contre l'encadrement de la porte. Il se frotta les yeux, qui me parurent bleus, et sourit :

— Je parlais du café.

— J'avais compris. Oui, il y en aura pour tous.

— Gabriele. Je m'appelle Gabriele, je suis un ami de Serena.

Je déduisis de son accent qu'il venait du nord, un nord indéfini.

— Tu es de Milan, toi aussi ?

— De Lecco.

— Je n'y suis jamais allé.

Le café gargouilla : il était prêt. Je coupai le gaz.

— C'est très beau, Lecco. J'ai dû me sauver.

Drôle d'éloge de sa ville…

— Tellement beau qu'il faut se sauver ?

— C'est un endroit un peu spécial, le lac, les décors de Manzoni… Tu m'as dit que tu t'appelais comment, déjà ?

— Je ne te l'ai pas dit.

J'y remédiai.

Il hocha la tête comme si ça lui rappelait quelque chose.

— Serena m'a parlé de toi. Sansommeil le journaliste, c'est ça ?

Je lui tendis une tasse sans répondre. Ce surnom était

réservé à mes amis et à mes collègues. À vue de nez, ce type à moitié à poil n'appartenait à aucune de ces catégories.

— Du sucre ? demandai-je.

— Trois cuillères, s'il te plaît.

— Tu es sûr ? Ça risque de déborder.

— Je l'aime sucré. J'aime le sucre.

Le café arriva au rebord et Gabriele dut l'aspirer. Il se brûla peut-être les lèvres, mais il fit comme si de rien n'était.

— Il est bon.

— Tu es en vacances ? demandai-je par politesse.

La vue de son caleçon qui bâillait me tapait un peu sur le système.

— Non, je travaille.

— À Palerme ? Qu'est-ce que tu fais ?

— Je travaille partout, et tout le temps, même quand je dors : j'écris.

— Tu es journaliste, toi aussi ?

— Non, poète.

Il avala le fond de sa tasse.

— Il en reste ?

— Je te laisse te servir, il faut que je me sauve, dis-je en me dirigeant vers la porte de la cuisine.

— Tu te sauves ? Tu t'es cru à Lecco ? dit-il d'un air malicieux en s'approchant.

Des relents d'aisselle agressèrent mon odorat.

— Non, c'est juste que je vais travailler.

Quand je le quittai, il se grattait les fesses en fixant un point indéterminé entre le placard où on rangeait les pâtes et l'étagère des épices.

Aucun doute, nous avions un invité.

Saro m'accueillit avec un regard oblique.

— *Attìa*, Sansommeil ! Sacré lascar !

— Qu'est-ce que j'ai fait encore ?

— Tu le sais très bien.

— C'est pas ce que tu crois. C'est parce que j'ai lu que je me suis couché tard.

— J'en étais sûr : encore une histoire de coucherie !

Ce fut ma seule occasion de rire ce jour-là.

Les faits divers semblaient en état d'hibernation. Il fallait voir la lenteur avec laquelle on épluchait les quotidiens : un projecteur qui envoyait douze photogrammes par seconde au lieu de vingt-quatre.

Un téléphone se mit à sonner. Une, deux, trois, quatre fois.

— C'est celui de *Donnunzio*, non ?

Le rédacteur en chef regarda les rares zélés qui étaient au boulot à 7 h 30, et désigna du menton l'appareil gris qui carillonnait depuis trente secondes sur le bureau vide de Li Peri parmi l'hébétude générale.

Je bondis comme si je venais de me libérer d'un sortilège, et gagnai le poste de mon collègue absent.

Le téléphone sonnait encore.

— Allô ? dis-je.

— Ah, enfin ! fit la voix à l'autre bout du fil.

Je reconnus le timbre rauque de Tonino Impallomeni, notre envoyé au commissariat.

— Si Togliatti avait pris une balle, à cette heure-ci on se serait déjà fait doubler. Comment vous pouvez laisser gueuler un téléphone aussi longtemps ? dit-il pour être bien clair.

— Pardon, mais Li Peri ne travaille pas aujourd'hui. Quant à Togliatti, il me semble qu'il a déjà pris une balle et qu'il y a quelqu'un d'autre à la tête du parti communiste depuis un petit moment.

— Arrête de faire le mariole. J'en ai rien à cirer de Togliatti, ça fait un bail qu'il est mort, et pas à cause de l'attentat. Faut réviser tes cours d'histoire, *blondinet*.

— Je parie que ce n'est pas pour me parler de la mort de Togliatti que tu appelles, Tonino, mais peut-être de la mort de quelqu'un d'autre.

— *Minchia* ! Tu as de la suite dans les idées, dis donc !

— Peut-être que je me trompe…

— Non, tu dis vrai. On a trouvé un type dans une bagnole, ce matin.

— Où ?

— Dans le coffre.

— Gros poisson ou menu fretin ?

— Non identifié. *Incaprettato* : strangulation estampillée mafia. Habillé classe. La bagnole est au croisement entre la via Emiro Giafar et la via Conte Federico. Tu as tout noté ?

— Oui. C'est quoi comme voiture ?

— Reconnaissable entre toutes : vingt flics autour, des gars de la Scientifique, quatre véhicules de la PJ et trois voitures banalisées. Sans compter une flopée d'autres types de Brancaccio. Tout est clair ?

— Comme de l'eau de roche, répondis-je en ravalant mon orgueil.

Difficile d'être au top à 7 h 30 du matin.

Impallomeni raccrocha sans s'embarrasser avec des salutations.

Je transmis cette nouvelle au chef, qui me dit :

— Très bien, c'est notre nouveau *Donnunzio* qui s'y colle !

Voilà ce qui se passe quand on décroche le téléphone des autres.

— Mais je m'occupe déjà de l'affaire Veruschka !

— Eh bien, tu feras deux articles au lieu d'un. Tu te sens débordé ? Tu as besoin d'un assistant ?

À cette heure, ses sarcasmes étaient insupportables.

— Non, c'est bon, j'y vais.

— Et n'oublie pas d'emmener Filippo, cria-t-il tandis que je quittais la salle.

— C'est comme si c'était fait, murmurai-je entre mes dents.

Je sentais les petits yeux acérés de Rosciglione rivés à mon dos. Il adorait quand le chef me maltraitait.

Cinq minutes plus tard, le photographe était derrière moi sur ma Vespa, et son sac posé sur sa cuisse collait à ma hanche.

— On va où ?

— Via Emiro Giafar.

— Waouh, on part à l'étranger ! dit-il avec l'air satisfait du type qui a bien dormi et qui veut en informer le monde entier.

— Pas sérieux s'abstenir, répondis-je dans un murmure.

— Quoi ?

— Rien, j'ai dit que c'était du sérieux, mentis-je.

D'où m'était venue cette formulation idiote ? Je pensais à l'affaire Veruschka sous cette forme : *cherche assassin, pas sérieux s'abstenir.*

Filippo ne pouvait pas comprendre, il s'était réveillé de bonne humeur.

Le croisement entre la via Emiro Giafar et la via Conte Federico se situe au cœur de Brancaccio, un quartier qui est à la mafia ce que La Nouvelle-Orléans est au jazz. Les quatre coins du carrefour étaient respectivement occupés par un vendeur de fruits et légumes dont les cagettes couvraient autant d'espace que le chantier d'un gratte-ciel ; une rôtisserie « *volailles à l'ancienne* » où tout se faisait au gril électrique ; une maison abandonnée qui, avec ses deux étages inachevés, rappelait les bâtisses de Gela, ou, pour faire dans l'exotisme, le centre de Bamako. Le dernier coin était fidèle à la description d'Impallomeni : envahi par une foule de policiers et de curieux, sous les gyrophares des véhicules de la police judiciaire.

La Scientifique était en train de photographier sous toutes les coutures une Fiat 131 blanche à moitié garée sur le trottoir. Le coffre était ouvert. Je reconnus Selvaggini, de la Criminelle, et De Seta, de la Scientifique. Les deux hommes se consultèrent puis appelèrent le photographe de la police et lui demandèrent de prendre d'autres clichés d'un détail précis, qu'ils désignèrent sans que nous puissions l'apercevoir. Filippo se fraya un passage et, après avoir échangé un bonjour avec son *collègue* en uniforme, il s'approcha de la scène comme si les agents l'avaient sollicité aussi. Il eut le temps de se pencher sur le coffre et de prendre deux photos avant qu'un gars de la police judiciaire ne l'écarte sans urbanité. Son *collègue* en uniforme haussa les épaules comme pour dire : *Faut bien qu'on fasse notre boulot…*

Filippo me rejoignit au moment où j'essayais de convaincre Selvaggini de nous laisser voir le cadavre :

— Faut bien qu'on fasse notre boulot, vous savez.

L'excuse était censée fonctionner dans les deux sens.

L'agent de la Criminelle me regarda en soupirant.

Il était 8 heures du matin et il faisait plutôt frais pour un mois de mars. Mon blouson de toile légère et, qui sait, l'expression de jeune cocker exploité que j'avais improvisée ouvrirent les vannes de sa pitié.

— Tu peux aller jeter un œil. Mais surtout ne touche à rien.

Comment avoir envie de toucher un corps livide dont la langue qui pend de la bouche ressemble à une balle noire sur le point d'exploser ? Un corps qui n'est plus qu'un enchevêtrement macabre de cordes savamment nouées ?

Le jeune homme qu'on avait ainsi massacré et abandonné au cœur de Mafia City était bien habillé : pantalon gris, souliers noirs vernis, chemise bleu ciel et veste marine avec pochette blanche. Mais ce visage de jeune cadre était rendu méconnaissable par le système de strangulation lente due aux mouvements de la victime qu'est l'*incaprettamento*.

— Putain, dis-je.

— *'sta minchia*, renchérit Filippo.

Selvaggini nous écarta gentiment. Je lui demandai s'ils avaient identifié la victime.

— On y travaille, me répondit-il.

L'examen du corps se déroulerait à l'institut médico-légal de l'hôpital central. Filippo et moi échangeâmes un regard et, après avoir remercié l'agent de la Criminelle, nous nous dirigeâmes vers la Vespa. Je pris un jeton dans la poche de mon jean tout en cherchant du regard une cabine téléphonique. Rien. Je démarrai et roulai jusqu'à un bar situé via Maresciallo Diaz. Café, croissant et coup de fil.

— Sinon ils râlent, dit Filippo en désignant le couple d'octogénaires qui géraient le lieu.

— Je t'écoute, fit mon rédacteur en chef.

— C'est du lourd. Un type fringué classe, assez jeune, *incaprettato* et abandonné à Brancaccio. Je ne me rappelle pas avoir vu…

— Parce que avec tes trois ans de *blondinage* tu penses pouvoir nous faire l'historique des crimes mafieux ?

Puis je l'entendis hurler :

— La Caveraaa !

C'était le doyen de la chronique judiciaire, un type sympa, nonchalant, sur le point de partir à la retraite depuis toujours.

— La Cavera, des types *incaprettati* et fringués classe, ça te dit quelque chose ?

Je n'entendis pas la réponse du doyen, mais au ton de Reina, qui avait abandonné le sarcasme, je compris que je n'avais pas dit n'importe quoi.

— C'est bon, continuez. Essaye de savoir qui est cet *incaprettato*. Et surtout, mais je ne devrais pas avoir besoin de te le dire, essaye de comprendre comment ce con a obtenu le privilège d'être exécuté de cette façon.

J'étais en train de préciser à mon chef que l'autopsie était prévue pour l'après-midi et qu'entre-temps ça valait peut-être la peine que je passe à la rédaction quand je m'aperçus que la tonalité était libre. Il avait raccroché.

J'appelai Filippo :

— Allez, on y va.

— Où ?

— Au labo. Développer les photos.

UNE FOIS AU JOURNAL, je passai aux faits divers pour informer mon chef et son adjoint que j'irais à l'institut médico-légal en début d'après-midi. En attendant j'écrirais un papier sur le mystère de l'*incaprettato*, élégant mais toujours sans identité. En quarante minutes, je débitai soixante lignes à publier avec la photo que Filippo était en train de développer. Je remis mon œuvre à l'adorable Rosciglione, qui fit une grimace avant même de la lire. Puis j'attaquai un article de suivi sur Veruschka, un papier d'une cinquantaine de lignes recyclant les infos des jours précédents sans rien ajouter de neuf. J'avais déjà le titre : *Entraîneuse assassinée : l'enquête se poursuit*. Palpitant.

Puis je montai à l'étage.

— Sansommeil, ça bosse aujourd'hui, hein !

Saro me surveillait. Il devait être au courant du dossier qu'on m'avait confié, et me caressait du regard chaque fois que je passais dans son périmètre.

— *A ccu ammatte, ammatte*, répondis-je en souriant. Quand ça tombe, on ramasse.

Et moi, ce printemps-là, j'étais spécialiste de la cueillette.

Le labo photo se trouvait au deuxième étage de l'immeuble qui abritait notre journal. Deux pièces, dont l'une était une grande salle de bains aveugle transformée en chambre noire. Du plafond pendaient deux fils électriques terminés par des ampoules rouges, le seul type d'éclairage qui n'altère pas le papier photo en noir et blanc pendant la phase d'impression. Mais, pour développer les pellicules, Filippo travaillait dans le noir total, guidé uniquement par son toucher. Il insérait le film dans une sorte de petite cuve qui, une fois fermée, était remplie de révélateur. Plongés dans le fixateur puis séchés rapidement au sèche-cheveux, les négatifs étaient prêts à être imprimés quelques minutes plus tard. Pour les puristes, le sèche-cheveux est sans doute une hérésie. Mais les délais au journal étaient toujours incroyablement serrés et, pour Filippo comme pour tous les reporters photo de la presse quotidienne, nécessité faisait loi. Il s'était procuré un beau Philips de mille watts, aussi bruyant qu'un tracteur.

Quand j'entrai dans le labo, il se servait du sèche-cheveux sur le second rouleau de négatifs.

— Ça donne quoi ? criai-je pour me faire entendre, en désignant la pellicule suspendue, prête pour les ciseaux.

Les négatifs devaient être découpés en bandes de six photogrammes.

Il éteignit le tracteur :

— Elles sont belles. S'ils sont courageux, ils mettront celle où on voit son visage gonflé… Peut-être que quelqu'un le reconnaîtra.

— Et celles qui sont moins explicites ?

— Elles sont là, regarde-les.

— Il faut qu'on se grouille, en bas ils ferment. Imprime une ou deux photos publiables et passe-les-moi.

— OK, mais donne-moi un coup de main.

Il alluma les ampoules rouges, éteignit la lumière centrale et inséra une bande de négatifs dans l'agrandisseur : l'image inversée du corps dans le coffre apparut sur la planche blanche sous la lampe Durst. Il fit la mise au point.

— Passe-moi une feuille, dit-il en tendant la main vers moi et en indiquant l'étagère du regard.

Je lui donnai le paquet d'Ilford. Il éteignit la lumière de l'agrandisseur, plaça le papier polythène sur la planche et réalluma quelques secondes, comptant à voix haute. Puis il retira la feuille de la planche et la plongea à sa gauche dans le bac rempli de révélateur. Sur le papier qu'il manipulait avec des pinces, l'image du mort apparut, en positif cette fois : le noir était noir, et le blanc, blanc.

— Alors ?

— Elle est super.

Il la passa dans le bac de fixage puis sous l'eau.

— Allez, fonce, me dit-il en me tendant la feuille mouillée. Tu la sécheras en redescendant.

— Je l'agite ?

— Ben oui.

Je l'apportai au rédacteur en chef, qui était habitué à recevoir les photos encore mouillées. Il l'éloigna et s'exclama, comme s'il était devant une sanguine de Fattori :

— C'est un chef-d'œuvre !

Le nouveau mystère était prêt à faire la une.

Je devais aller manger un bout avec Peppino Tutrone, le responsable de la rubrique locale, dans une trattoria en bas de l'immeuble de la rédaction. Il fallait faire vite car la visite à l'institut médico-légal était prévue à 15 heures.

Bien que Peppino eût moins de trente ans, il en paraissait cinquante. Non pas parce que c'était un homme sage, marié et père de deux enfants, mais à cause d'un début de calvitie qui le classait injustement dans la génération de nos parents alors qu'il était à peine plus âgé que moi. Sa famille possédait des terres à Sambuca di Sicilia, dans la région d'Agrigente, et produisait plusieurs tonnes d'*Insolia* et de *Catarratto*, deux types de raisin autochtone que les Tutrone faisaient vinifier à la coopérative Settesoli, composée d'une centaine de viticulteurs. Le résultat était un blanc ordinaire, que l'on pouvait acheter en bouteille ou en vrac chez les cavistes de la ville. Peppino était très fier de ce qu'il appelait *le vin de ma famille.*

Il en commanda un verre pour chacun. On nous les servit à la carafe, à température ambiante.

— Tu sais combien ce vin nous rapporte par an ?

— Non.

Il écarta les bras.

— Des millions !

Et il s'envoya une gorgée de son blanc.

Il aimait parler d'argent sans verser dans l'ostentation, s'habillait de façon neutre, parfois un peu négligée. Des chemises amples pour cacher une bedaine qui avait définitivement pris ses quartiers, des vestes souples en tissu mixte, des cravates larges selon la mode de l'époque. Dans l'ensemble, il me donnait l'impression d'être mature et relativement élégant.

— Excuse-moi, Peppino, mais pourquoi tu bosses comme journaliste à sept cent mille lires par mois si vous gagnez autant d'argent avec votre pinard ?

— Et alors ? Si je suis journaliste c'est pas pour le fric, c'est pour la politique.

— Parce que tu aimes analyser l'actualité politique ?

— Sansommeil, t'as rien compris, *arruspigghiati*, réveille-toi un peu !

J'eus la confirmation de ce que je savais déjà : beaucoup de journalistes sont aussi des militants, leur profession est l'occasion de s'engager dans les domaines les plus divers.

— J'ai compris, grommelai-je.

Et, sans doute pour m'infliger une punition, je pris moi aussi une gorgée de son blanc tiède et acide.

Tutrone eut un sourire satisfait qui semblait dire : « *Tu vois que tu y arrives quand tu veux.* » Puis il changea de sujet.

— Tu as eu du nouveau aujourd'hui sur la *pulla* assassinée ?

— Non. J'ai travaillé sur un *incaprettato*. Je ne savais pas que tu t'intéressais à l'affaire Veruschka.

— J'en perds pas une miette. Si tu savais ce qui se dit au Palazzo delle Aquile...

— Le maire et les conseillers municipaux faisaient partie de ses clients ?

— Peut-être pas tous, mais tout le monde en avait au moins entendu parler. Ils me posent souvent des questions sur l'état de l'enquête. Et moi je te les pose à mon tour.

— Faudrait faire le contraire. Demande-leur s'ils ont des informations intéressantes à me raconter. On leur garantit que leur nom ne sera jamais mentionné, bien sûr.

— Ça pourrait se faire...

— Ça va se faire ou pas ?

— Peut-être bien.

Tanino, le patron de la trattoria, vint nous présenter le menu du jour en s'essuyant les mains sur son tablier :

— En plus de la carte habituelle, aujourd'hui on a du thon sauce *sfincione*, des pâtes avec du thon sauce *sfincione*, du *sfincione* avec du thon aux oignons. Sinon, je peux vous servir du thon grillé.

— Moi je prendrai un bout de *sfincione*, dis-je.

La pizza palermitaine, uniquement garnie de tomates et d'oignons, me semblait plus digeste que le thon.

Peppino Tutrone noua sa serviette autour de son cou et commanda du thon sauce *sfincione.*

— On va avoir une haleine de chacal. Pas de *fimmine* pendant vingt-quatre heures, me dit-il en me faisant un clin d'œil.

— Ne t'inquiète pas, aujourd'hui je ne draguerai que des filles qui mangent de l'ail, répondis-je pour jouer la connivence masculine.

— Sacrés veinards de *blondinets*…

— Parce que tu trouves que c'est la panacée de bosser à la rédaction vingt heures par jour pendant des années avant de décrocher un vrai contrat ?

— Ne te vexe pas, c'est pas ça que je voulais dire.

— Tu voulais dire quoi ?

— Je ne trouve pas les mots.

Et il éclata de rire.

Un *blondinet,* moi, avec ma peau mate, mes cheveux longs et bruns, ma barbe hirsute ? Une fois, une fille m'avait décrit comme un mélange de Che Guevara et de Clint Eastwood, mais avec les yeux noirs. Pas vraiment le genre *blondinet.*

Je fis cependant mine de partager l'univers de sous-entendus contenus dans le *sacrés blondinets*… Un monde de sexualité débridée, de mépris des conventions, de drogue, de rock psychédélique ; autant de choses que Peppino avec ses cravates, sa famille, ses engagements politiques, sa bedaine et son début de calvitie considérait dorénavant comme des fruits défendus.

Puis, tout en jouant avec les couverts, je décidai à mon tour d'aborder un sujet délicat :

— Dis, Peppino, il y a un truc que je sais pas quoi en penser, tu pourrais peut-être m'éclairer…

J'étais si gêné que ma grammaire s'en ressentait.

— Vas-y, je t'écoute.

— Je sais que Salvatore Rosciglione est un ami à toi.

— C'est plus qu'un ami. Il a quitté sa femme pour se mettre avec ma sœur. Maintenant c'est mon beauf.

— Tant mieux.

Ça m'était sorti spontanément, mais je n'étais pas si sûr qu'il vaille mieux être beaux-frères que copains.

L'arrivée des plats coupa mon élan. Le *sfincione* pour moi et le thon pour lui. Peppino en coupa un morceau, le recouvrit de sauce et l'engloutit.

— Qu'est-ce que tu disais ?

— J'ai l'impression que Rosciglione ne peut pas me blairer. Comme s'il ne supportait pas que le chef me donne du boulot…

— Tu te trompes, trancha-t-il sans cesser de mastiquer une énorme bouchée de thon accompagnée d'un morceau de pain de Piana degli Albanesi.

— Pourquoi ?

Il déglutit.

— Il n'a rien contre toi.

— Ben on dirait pas.

— C'est à cause de son frère, dit-il en essuyant ses lèvres avec le coin de sa serviette.

— Son frère ? Mais je ne le connais pas ! Quel rapport avec moi ? demandai-je en coupant un morceau de *sfincione*.

— Tu vas comprendre.

Peppino finit son verre et fit un signe à Tanino, qui vint le lui remplir.

— L'histoire remonte à plusieurs années. Son frère cadet s'appelle Guglielmo, maintenant il doit avoir vingt-six ans, et il bosse pour la mairie de Cefalù. Mais il y a cinq ans, quand il était en deuxième année de lettres, il a fait un stage au journal. À l'époque, Salvatore travaillait à la rédaction de Catane, et il avait parlé de Guglielmo au directeur, qui avait accepté de donner sa chance au gamin. Ça a été un désastre.

Il ne comprenait rien, il ne savait pas écrire. Et, surtout, il était incapable de faire la différence entre ce qui constitue une info et ce qui ne sert à rien. Bref il n'était pas doué. Il est resté trois ou quatre mois avec nous, jusqu'à ce que Reina lui dise qu'il ne ferait jamais l'affaire.

Il but une autre gorgée de blanc.

— Tu as compris, maintenant ?

— Toujours pas.

— Salvatore Rosciglione déteste tous les gars de ton âge capables de réussir.

— À être embauchés définitivement ?

— Non, à être journalistes.

— En quoi on le gêne ?

— Vous lui rappelez cet épisode. Il avait pistonné son frère et *c'ha accucchiato una malafiura* aux yeux du directeur : il est passé pour un con. Tu comprends maintenant ? Il voudrait montrer qu'au départ les jeunes sont tous mauvais, et qu'on aurait dû donner une seconde chance à son frère.

— J'ai pigé. Donc il n'y a rien de personnel.

— De tous les *blondinets* du journal tu es celui qui bosse le plus, et qui a sans doute le plus de potentiel. Je te laisse tirer toi-même la conclusion.

Tutrone nettoya son assiette avec un bout de pain pendant que je finissais mon dernier quartier de *sfincione.* Il voulut payer la totalité de la note, peut-être pour me consoler, ou parce que, avec tous les *millions* que lui rapportait le vin de Sambuca di Sicilia, ça lui coûtait peu de m'inviter. Quoi qu'il en soit, je ne savais pas si le récit de Peppino était rassurant ou inquiétant. C'est dans cette incertitude que j'enfourchai ma Vespa pour aller à l'hôpital.

À L'INSTITUT MÉDICO-LÉGAL, l'après-midi avait commencé par deux autopsies déjà prévues. Au bout de l'allée centrale qui donnait accès à cette bâtisse du début du siècle, je tombai sur Filippo avec ses Nikon autour du cou, deux journalistes d'agence de presse, un autre photographe et deux opérateurs de chaînes de télé privées.

La Fiat 131 contenant le cadavre de l'*incaprettato* était arrivée depuis plusieurs heures, remorquée par une vieille dépanneuse orange de la mairie. Devant la porte de l'institut, deux infirmiers plaisantaient en fumant une cigarette. Je leur demandai des infos sur l'autopsie.

— On les a déjà données aux autres journalistes, répondirent-ils nonchalamment.

— Désolé pour le retard, mais ma copine m'a fait perdre un temps fou.

L'anecdote personnelle fait souvent des miracles.

La langue des deux infirmiers se délia, et ils m'apprirent que le corps avait été *stationné* sur un brancard. L'un d'eux précisa :

— C'était un *feto* géant.

À Palerme le mot a un sens ambigu : « fœtus » ou « puanteur ». Dans ce cas, les deux valaient… J'avais déjà eu plusieurs fois la nausée en entrant ici. L'été précédent, à l'endroit même où nous étions, j'avais vu un magistrat bien sapé et fier comme un hidalgo respirer à travers un mouchoir en lin imbibé d'eau de Cologne. Deux corps en décomposition, placés dans des sacs-poubelle que les infirmiers venaient d'ouvrir, dégageaient une odeur insupportable. Le genre d'odeur qui vous marque à jamais, il suffit de la sentir une fois pour la reconnaître toute la vie. Et nous, ce jour-là, on n'avait pas de mouchoir imbibé de parfum.

Les deux journalistes de l'agence de presse s'approchèrent.

Il était clair qu'ils étaient déjà informés, car ils ne prirent pas la peine de sortir leur carnet.

Les infirmiers me dirent que le cadavre de l'*incaprettato* était examiné par Marcello La Mantia, le médecin légiste de service. Son nom me disait quelque chose, et son visage me revint à l'esprit. C'était un beau gars d'une trentaine d'années que j'avais rencontré quelques semaines plus tôt lors d'une soirée chez ma sœur.

J'aperçus La Mantia qui passait la tête par la porte, sans doute pour évaluer le nombre de journalistes. Il regarda de mon côté et me reconnut, nous échangeâmes un sourire rapide en guise de bonjour. Derrière lui se tenait Elio Selvaggini, de la police judiciaire. Il s'avança vers nous et nous fit comprendre d'un geste de la main que nous ne devions pas entrer.

— Monsieur, il nous suffirait d'un nom pour pouvoir commencer à travailler, lui dit un de mes collègues, espérant un peu de compréhension.

— C'est pareil pour nous, rétorqua le policier.

Il retourna à l'intérieur en nous laissant bredouilles sur le parvis.

Je pris le paquet de Camel dans mon blouson de toile, et j'offris une cigarette à Filippo. Nous nous assîmes au bord d'un massif de fleurs flamboyant qui déclinait une palette de rouges, des hibiscus roses, pourpres et rouge sang, à l'image des activités lugubres qui se déroulaient derrière cette porte qu'on venait de refermer devant nous.

Une demi-heure plus tard, Selvaggini ressortit, suivi par un de ses hommes encore équipé de gants en cellophane. L'agent tenait une enveloppe transparente contenant un portefeuille, probablement celui de la victime. Il monta dans une Alfa banalisée et partit sur les chapeaux de roues en emportant la pièce.

Entre-temps, le responsable des faits divers du principal journal de la ville était arrivé. Un *incaprettato*, ça faisait toujours vendre. Même si c'était le quarante et unième meurtre de l'année et qu'on était à peine au mois de mars.

Nous fîmes cercle autour de Selvaggini, qui avait consenti à s'arrêter pour répondre à nos questions.

— Alors, de qui s'agit-il ? demanda un des journalistes de l'agence, le plus âgé de nous trois.

— Nous avons identifié la victime : Stefano Bevilacqua, vingt-neuf ans, palermitain et sans casier judiciaire. Ses papiers d'identité avaient été volontairement cachés.

— Où les avez-vous trouvés ? demandai-je à mon tour.

— Le portefeuille était dans son slip.

— Il travaillait dans quoi, Bevilacqua ?

— Petit entrepreneur.

À Palerme, ce genre d'activité appelait une série de mots clés : appels d'offres, service public, adjudications truquées, mafia, homicide.

— Dans quel domaine ? poursuivis-je. Immobilier ? Travaux de voirie ?

— Non, pressing.

Dans une région sinistrée, tenir un simple pressing suffit largement pour avoir droit au titre d'entrepreneur.

— Entreprise familiale ?

— Il gérait le commerce avec son frère, répondit Selvaggini.

— À quel endroit ?

— Via Sciuti.

— Et il habitait où ?

— Au 12 de la via Giusti.

— *Minchia... !* s'étonna le journaliste du quotidien à gros tirage, exprimant la pensée de tous avec la capacité de synthèse caractéristique des leaders.

C'était un type des beaux quartiers, notre *incaprettato.* Pas un minable des quartiers Zen ou Ciaculli. Monsieur se payait même le luxe d'habiter à deux pas de sa boutique.

— Il était propre ? demanda le même journaliste sans penser au double sens du mot dans ce contexte.

Dommage, car il perdit tout le crédit qu'il avait gagné en dégainant son *minchia* au bon moment.

— Pour l'heure nous n'avons aucun élément nous permettant d'affirmer le contraire, conclut Selvaggini.

La conférence de presse devant les hibiscus s'acheva par des salutations rudimentaires.

Le crime était mafieux, cela ne faisait aucun doute. Mais une question restait en suspens comme une feuille dans l'air frais, ou plutôt comme un sac-poubelle poussé par le vent : pourquoi un type de la via Sciuti avait été *incaprettato* à Brancaccio ?

— Je serais toi, j'irais voir son frère, il pourrait nous apprendre des trucs, me cria Filippo à l'oreille tandis que la Vespa fonçait vers la rédaction.

Les photographes ne sont pas toujours *négatifs*, à la différence de mon éminent collègue du journal à grand tirage, j'évitai le double sens et me contentai d'un sourire mental.

Mon chef fut informé des derniers événements dès mon retour à la rédaction, et en moins de vingt-quatre heures les lecteurs rares et éclairés de notre canard le furent aussi. Je rédigeai un papier plein de mystère et de questions sans réponse. Mon imagination n'avait joué aucun rôle là-dedans, vu que je ne comprenais rien à cette histoire. Tout ce que je savais, c'est qu'elle allait finir en une et que, en misant sur le sensationnel, notre journal – un des premiers du pays à avoir un format tabloïd – ressemblerait à un quotidien populaire anglais.

C'était la règle des trois S d'Axel Springer, un type qui en Allemagne avait fondé son empire sur la trinité sexe, sang et sous. Pour notre part, on devait se contenter du sang. Je repensai à Veruschka. Tout compte fait, on avait aussi l'ingrédient sexe. Je couvrais deux meurtres plus troubles l'un que l'autre et je risquais de m'y perdre.

La mort de Veruschka hantait la conscience palermitaine, comme une perte à pleurer ou à cacher selon les cas. Bien que cet homicide ne soit plus qu'une brève dans le quotidien le plus diffusé, nous on s'obstinait à publier des articles de suivi parce que le rédacteur en chef des faits divers pressentait que plusieurs quartiers de la ville suivaient cette affaire de près.

Avant de rentrer à la maison, je passai un coup de fil au chef de la police judiciaire.

— Comment allez-vous, monsieur Gualtieri ?

— Journée de merde, merci.

— Vous faites allusion à l'homme dans le coffre de la voiture ?

— En partie. Le commissaire me met la pression parce que les stats d'affaires résolues sont en chute libre.

— Du nouveau sur Veruschka ?

— Ah, la revoilà, celle-là !

— Je voulais savoir où en était l'enquête.

— Pourquoi ? Tu as fait une découverte sensationnelle ? demanda-t-il sur un ton sarcastique auquel je ne prêtais désormais plus attention.

— Non. Mais j'ai compris que c'était vraiment une fille particulière.

— Mes félicitations, jeune Sherlock Holmes. Je te rappelle que la moitié de la ville payait deux cent mille lires pour profiter de sa particularité pendant quelques heures.

— Oui, mais Veruschka apportait une touche supplémentaire.

— De la drogue ?

— Non, de l'amour.

— Allons donc, c'était la Traviata ou quoi ?

— Vous ne voulez pas m'écouter.

— Mes hommes disent que tout Palerme est en deuil, ce qui me laisse supposer qu'il y a quelques gros bonnets dans le troupeau.

— Pouvez-vous me dire…

— Bon, je dois raccrocher. C'est gentil à toi de m'avoir appelé. On se tient au courant.

— Bien. Merci à vous.

Tandis que Gualtieri parlait, j'avais fait quelques gribouillis au dos d'une feuille de papier millimétré, dont un en forme de fleur. Elle ressemblait aux hibiscus de la morgue.

Plus tard, j'irais voir le frère de Bevilacqua au pressing. Avec un peu d'espoir, en fin d'après-midi la police lui aurait lâché les basques. Entre-temps, je pouvais me poser quelques heures chez moi. Je pensai à Lilli, qui était chez ses parents. En son absence, mon refuge était moins sûr.

Appartement de Veruschka, 21 h 45

— VERUSCHKA, je voudrais te présenter à mes parents. Ils habitent dans le coin.

— Pourquoi ?

— On est amis, non ?

— Oui, mais je ne suis pas le genre de fille qu'on emmène à un repas de famille, répondit-elle en déposant les assiettes dans l'évier.

Celle du gentil garçon était vide ; la sienne était pleine de bouts de pizza froide qu'elle jeta avant d'ouvrir le robinet.

— Je me fiche de ce que peut penser ma famille. Tu me vas très bien comme tu es.

— Moi je ne m'en fiche pas. Je ne peux pas me permettre d'avoir une vie normale avant d'avoir tiré le maximum du monde.

— Et après ?

— Je repartirai de zéro. Ou, plutôt, je repartirai de cinq millions. Je veux économiser plein d'argent pour ne plus dépendre de personne. Après, Rome, la télévision…

— Je pourrais te donner beaucoup.

— Commence par me passer ton verre.

Ils sourirent tous les deux.

— Il va falloir que je me prépare. Dans une heure, tu rentreras chez toi et j'irai travailler, d'accord ?

— Je n'aime pas ton travail.

— Moi si. C'est un moyen facile de gagner de l'argent. Il suffit de penser à autre chose. J'imagine toujours que je suis au château de Prague, avec papa et maman. Ils me tiennent par la main, il ne peut rien m'arriver de mal.

En l'écoutant, le gentil garçon avait envie de la prendre là, sur la table. Il n'était pas son ami. Il était amoureux d'elle, il la désirait. Et il trouverait bientôt le courage de le lui dire.

Vu la manière dont il était assis dans l'entrée, je soupçonnai Cicova d'avoir tiré sa pose d'un catalogue de musée égyptien. Chez les chats, tout est symétrie et retenue. S'il avait su lire, mon félin roux tigré aurait trompé l'attente avec un recueil de T. S. Eliot entre les pattes, murmurant un vers de temps à autre. Mais, quand il me vit, il ne sut que pousser un miaulement en prose. Depuis midi, j'étais le premier humain qui apparaissait devant ses yeux jaune doré. Autrement dit, je représentais son premier espoir d'avoir à manger. Plein de gratitude, il s'approcha de sa gamelle en se frottant contre mon mollet droit quand je lui ouvris une boîte de riz au thon.

Soudain, une énorme fatigue s'empara de moi. J'avais dormi moins de quatre heures, et passé mon temps à courir entre *incaprettati*, journaux et morgue. Et la journée était loin d'être finie.

Un peu de poudre blanche m'aurait fait le plus grand bien. Je devais avoir le numéro de Gaspare quelque part… Je regardai Cicova dévorer sa pitance, et décidai de chasser cette pensée de mon esprit, au moins jusqu'à ce que le chat ait disparu de mon champ de vision.

Oui mais, quand même… je me revis, en caméra objective, me pencher sur le miroir et aspirer. J'éprouvai à nouveau la sensation de froid dans la narine droite. Je fermai les yeux et le visage d'Amanda m'apparut.

Ses cheveux coupés au carré.

Sa poitrine.

Son odeur semblable à celle des tilleuls.

Associés au froid dans la narine, notre moment partagé dans le noir, l'inconnu et le plaisir me revinrent nettement.

Je me laissai tomber sur le lit, les bras en croix. Je n'avais envie de rien, sinon de dormir, mais je n'en étais même pas sûr. Je revins au salon et me déshabillai en semant un désordre délibéré. J'abandonnai ma chemise sur le canapé, mon blouson en toile dans la cuisine, fis valser mes Clarks, qui atterrirent dangereusement entre le tourne-disque Technics et le baffle Hirtel. En enlevant mon jean, je trouvai dans ma poche le bout de papier avec le numéro d'Amanda. Je ne savais pas encore quoi en faire. Je mis le double album blanc des Beatles, et « Happiness Is a Warm Gun » m'emporta très loin.

Tout avait un sens : le désordre, l'amour de Cicova, l'appartement vide, la jubilation que provoque le revolver encore fumant. À l'époque, je ne mesurais pas combien tout ça était palermitain.

Sur mon bureau, je trouvai un petit mot de Fabrizio : *Turiddu à 20 heures ?*

Ça voulait dire lui et moi, seuls, dans notre repaire à confidences : la trattoria Turiddu, à Mondello. C'est là qu'il m'avait révélé les secrets les plus intimes et les plus douloureux de son adolescence ; là qu'à dix-huit ans je lui avais avoué que j'étais amoureux de la copine d'un ami à nous, un des quatre qui formaient notre bande d'origine, sorte de couveuse sentimentale qui permet plus tard d'affronter tout le reste. Les copains de l'adolescence, les premières vibrations masculines altérées par les montées hormonales.

Mon altération s'appelait Gisella, elle ressemblait à Faye Dunaway en plus jeune, et avait un corps souple et fin, très peu méditerranéen. D'un commun accord avec elle, j'avais décidé de passer outre à son unique défaut, à savoir qu'elle sortait depuis quelques mois avec un garçon de notre groupe, et que ce garçon n'était pas moi. Mais j'étais son second choix, et elle passa de lui à moi car je représentais une promesse de bienveillance, de dévouement et de virginité. J'avais perdu mon pucelage avec elle, par un après-midi d'automne. Après l'éblouissement de l'orgasme, elle avait fondu en lames. Moi, totalement inexpérimenté, je croyais que j'avais fait quelque chose de mal. C'était ma première fois, c'était moi qui aurais dû pleurer, pas elle, qui l'avait déjà fait… Elle avait pleuré dans mes bras jusqu'à ce que je comprenne que c'étaient des larmes d'immense tendresse.

Je ne comprenais pas le langage secret des femmes. Cet après-midi-là, je m'étais contenté de ses propos mystérieux.

C'était donc chez Turiddu que j'avais demandé conseil à Fabrizio quelque temps auparavant : *je franchis le pas ou non ?* Lui, il avait déjà découvert le *nouveau monde* grâce à une Parisienne qui allait devenir par la suite une amie proche et dévouée.

— C'est pas nous qui décidons, m'avait répondu Fabrizio devant une assiette de poulpe bouilli à peine sorti de la marmite et coupé en morceaux spécialement pour nous.

J'avais arrosé le poulpe de citron avec un air entendu. Pourtant, j'avais l'impression que nous aussi on pouvait choisir. Et mon intuition de jeune homme encore vierge s'était révélée juste. Six ans plus tard, les *non* répétés que j'opposais à Serena m'en donnaient la confirmation. Un peu, que je décidais, même si j'en sortais déchiré, écartelé, consumé. Les rares fois où mon *non* aurait pu devenir un *oui*, elle s'était vengée en m'envoyant promener. Son baiser refusé la veille en était la preuve.

Turiddu à 20 heures ?

Oh que oui. Mais en attendant je devais mettre de l'ordre dans mes pensées et trouver un suspect.

Je voulais relire un roman de Dashiell Hammett dont le titre m'avait échappé, mais pas la trame. J'allai dans la chambre d'amis, où on rangeait les polars. Quand j'ouvris la porte, je crus que quelqu'un avait jeté une grenade dans la pièce. Par terre, un pantalon en boule, des T-shirts, des caleçons sales, des livres ouverts retournés contre le sol, deux verres à moitié pleins d'un liquide qui pouvait être du Coca ou du vin rouge, dont un où stagnaient une dizaine de mégots. Je déduisis de la présence d'un crayon à papier dans l'autre qu'il servait de pot à crayons. À côté des verres, des papiers barbouillés. L'un d'eux était couvert de gribouillages enfantins probablement exécutés avec le crayon trempé dans le Coca ou le vin. Un amas de draps était roulé sur le matelas. La chambre puait. En moins de vingt-quatre heures, notre invité avait transformé la pièce en décharge. Où était-il, d'ailleurs ? Et, surtout, s'était-il déjà lavé une fois dans sa vie ?

Je trouvai le livre de Hammett et ouvris la fenêtre qui donnait sur le puits de jour. Je comptais sur l'air miraculeux du printemps pour tout ranger et balayer ces parfums délicats.

Je retournais dans ma chambre pour me reposer dix minutes quand j'entendis la porte d'entrée s'ouvrir.

Une voix masculine chantonnait en anglais.

Je revins sur mes pas.

Une sacoche débordant de journaux, papiers et livres pendait sur la veste militaire de Gabriele, qui me regarda comme s'il me voyait pour la première fois. J'allais finir par oublier que j'étais chez moi.

— Salut, dis-je.

— Ah, tu es le type du café, ce matin.

Ça n'avait pas l'air d'un compliment. Je haussai les épaules et regagnai ma chambre pour éviter de m'énerver.

Gabriele reprit son fredonnement en allant vers la chambre que Fabrizio et Serena lui avaient imprudemment attribuée.

Je posai le livre de Hammett sur mon lit – c'était *La Clé de verre*, un de ses romans les plus durs sur les relations entre milieux criminels et politique – et, agacé, je décidai de m'informer sur la durée du séjour de notre nouveau colocataire.

Je frappai à la porte :

— Je peux ?

— Bien sûr, répondit-il en m'ouvrant.

Il s'était changé en un clin d'œil, troquant sa tenue contre un T-shirt et un pantalon de pyjama. La chambre, elle, était restée telle quelle.

— Qu'est-ce que tu chantais ?

J'ignore pourquoi je lui posai cette question, peut-être pour éviter d'être agressif d'entrée de jeu.

— « Each Man Kills the Thing He Loves ».

— Tout un programme.

— C'est un vers d'Oscar Wilde que Fassbinder a repris dans son dernier film.

— Je ne l'ai pas vu.

— Je te le conseille. Il s'appelle *Querelle*.

La conversation partait sur un registre intello. On aurait dit deux membres d'un ciné-club en train de disserter sur des réalisateurs allemands et des poètes anglais devant un martini alors qu'à l'origine j'étais venu pour lui dire que son comportement était craignos, que la bohème, la poésie et la créativité c'est bien sympa, mais cette maison n'est pas… *N'est pas quoi ? Tout le monde sait que…* Et, tandis que des pensées incohérentes fondées sur les mots *maison* et *hôtel* se bousculaient dans ma tête, j'entendis la voix de tous les parents et de tous les enfants. Un peu honteux, je préférai finalement continuer à parler de Fassbinder.

— Chaque homme tue ce qu'il aime…, repris-je.

— Dans le film, c'est Jeanne Moreau qui la chante, précisa-t-il en allumant un joint qu'il venait de tirer de la poche du pantalon jeté par terre.

Je supposai que c'était là qu'il entreposait son stock. Le pétard entre son annulaire et son petit doigt, il mit ses mains en coupe, aspira profondément puis me passa le joint.

Les choses prirent aussitôt meilleure tournure. C'était de la bonne herbe, qui ne brûlait pas la gorge.

— Tu sais ce que tu vas faire à Palerme ? lui demandai-je en recrachant la fumée que j'avais gardée le plus longtemps possible.

Il reprit le joint. Ses yeux bleus s'éclairèrent.

— Je vais me balader. Serena le sait, il n'y a que comme ça que j'arrive à écrire. En me baladant.

Je me dis que, moi, je n'y arrivais qu'en restant immobile, à la rédaction, dans le fracas des touches des Olympia martyrisées simultanément par vingt journalistes. Immobile dans le chaos. Lui, c'était en mouvement dans le chaos. J'en conclus que je ne serais jamais poète.

— Tu vas te balader où ? Dans le centre ?

— Je n'ai pas de plan de la ville, mais j'ai acheté des tickets de bus. Chaque jour, je prends un bus au hasard.

Le téléphone sonna.

— Pardon, je vais décrocher.

C'était Lilli. Elle me dit bonjour d'une voix gênée puis parla du magasin avant de me demander si elle pouvait passer récupérer un gilet qu'elle avait oublié, ce qui était le véritable motif de son appel. *Pourquoi ne dit-on la vérité qu'à la fin ?* me demandai-je.

— Bien sûr, ma chérie, passe quand tu veux. Il y aura certainement quelqu'un à la maison. Moi ? Je ne sais pas, je vais sortir, je dois rencontrer un type pour le boulot…

Nous raccrochâmes. Le combiné était devenu froid, comme si notre conversation l'avait glacé. Quelque chose était en train de se terminer.

De sa chambre, Gabriele me cria :

— Eh, quand tu veux de la bonne herbe, viens fouiller dans mes poches !

Finalement, cet invité n'était pas si mal.

Je laissai un mot sur le lit de Fabrizio : *OK pour Turiddu.*

À 16 h 45, après avoir vérifié l'adresse dans l'annuaire, je sortis de la maison, pris ma Vespa et me rendis via Sciuti. Au numéro 28, le rideau de fer du pressing Bevilacqua était tiré. Une pancarte fixée avec du scotch disait : *fermé pour cause de deuil.*

En face, il y avait une boutique de robes de mariée. De grandes affiches annonçaient : *tout à moitié prix.* À Palerme, les gens se marient en mai et en juin. D'ici deux mois, il y aurait des mariages partout en ville, et ce magasin cassait ses prix juste au moment où il aurait pu faire son meilleur chiffre.

Une jeune femme passa, bras dessus, bras dessous avec

une autre femme qui était sans doute sa mère : son clone, avec trente ans de plus. Elles s'arrêtèrent devant les affiches.

— Quel dommage ! s'exclama la fille.

Sa mère essaya de la réconforter :

— *Puru u tuo è bello. Costò n'anticchia cchiù assai, ma uno si marita 'na vota nella vita*, mon cœur.

Sa fille répliqua, déçue :

— Ma robe est plus belle et on ne se marie qu'une fois, c'est vrai, mais avec ce qu'on aurait économisé ça nous aurait payé le voyage de noces à Rome !

Sa mère la tira par le bras :

— Arrête, tout le monde nous entend, fit-elle en me désignant du menton.

On ne se marie qu'une fois. J'avais entendu cette phrase dans la bouche de ma grand-mère, de mes tantes, des parents de la plupart de mes amis. Dans certains milieux, ces certitudes inébranlables ployaient sous les coups des changements rapides, de la modernisation des relations, des tromperies qui n'étaient plus cachées, ni même gérées. Je pensai au prince du *Guépard* qui toute sa vie avait eu une double morale sans faille : sa femme à la maison, sa maîtresse sur la piazza Leoni. La famille tenait bon, les apparences étaient sauves, la vie sexuelle aussi.

Cette fille qui s'éloignait sur le trottoir, sa mère au bras, ne savait pas ce qui l'attendait. Aucun d'entre nous ne le savait. Personne ne le sait jamais. On mise sur quelqu'un les yeux bandés, une drôle de façon de jouer à la roulette. Un jour, la vie ferait tomber ce bandeau et nous verrions tout, nous comprendrions l'enjeu de notre pari et son issue. À l'époque, je voulais miser à la fois sur les numéros pleins, les chevaux et les carrés.

Je retraversai la rue pour récupérer ma Vespa, à quelques centaines de mètres de la via Giusti. Le bout de papier que j'avais dans la poche disait que la victime habitait au 12, avec ses parents ou avec son frère. Il fallait que je le vérifie.

Sur le même trottoir, une enseigne clignotante signalait une pharmacie, la plus connue des beaux quartiers. C'était la seule ouverte jour et nuit, *presque toujours ouvert* disait une affichette manuscrite accrochée sur la vitrine. Le *presque* apportait la juste dose de suspense. Quelques années auparavant, je m'y étais précipité en pleine nuit pour acheter des calmants à une amie.

Elle m'avait téléphoné à 3 heures du matin, sa voix était un râle.

— Viens, s'il te plaît, je me sens très mal. Elle n'avait pas dû me le dire deux fois.

— J'arrive.

— Je descends dans la rue, on se retrouve en bas, avait-elle murmuré.

En arrivant avec la R4 orange de Fabrizio, je l'avais trouvée recroquevillée sur le trottoir au pied d'un palmier, presque évanouie. Je l'avais traînée dans la voiture et emmenée aux urgences de la piazza Marmi, devant le tribunal. En état de choc, elle se plaignait de violentes douleurs à l'abdomen, qu'elle ne s'expliquait pas. Au bout d'une heure, l'origine de ces mystérieuses douleurs avait été élucidée : le matin même, elle avait avorté chez un gynécologue et les crampes successives à l'aspiration étaient devenues intolérables. Aux urgences, on lui avait injecté des calmants et des analgésiques qui l'avaient soulagée, puis ils m'avaient autorisé à la reconduire à la maison, avec une ordonnance pour d'autres calmants si les douleurs reprenaient. C'est comme ça que je m'étais retrouvé dans la pharmacie de la via Giusti avec mon amie somnolente sur la banquette arrière de la R4, la tête calée contre la portière en tôle dépourvue de rembourrage. J'avais acheté les médicaments et amené mon amie chez moi. Elle avait dormi à mon côté jusqu'au matin sans avoir besoin d'autres calmants.

Peut-être que Bevilacqua avait été toute sa vie un client de cette pharmacie.

Je gravis les trois marches du numéro 12 et cherchai le concierge des yeux. L'homme, un sexagénaire trapu vêtu d'un T-shirt décousu et d'un pantalon en futaine, avec une immanquable *coppola*, le béret sicilien, vissée sur la tête, me barra le chemin :

— Il n'y a *nuddu*.

— Comment vous pouvez savoir qu'il n'y a personne si vous ne savez pas qui je cherche ?

— Si, je sais. Les Bevilacqua. Ça se voit.

Ne comprenant pas pourquoi c'était si évident, je haussai les épaules.

— Et ils sont partis où ?

— *Chi nni saccio ?*

— Avec qui habitait Stefano Bevilacqua ?

— C'est pas mes oignons.

— Il vivait seul ?

— Tout à fait seul.

— Vous êtes sûr qu'il n'habitait avec personne ?

— C'est pas mes oignons, répéta le concierge en remettant sa *coppola* en place.

La conversation était terminée. On ne pouvait pas dire qu'elle avait vraiment commencé.

En sortant, je regardai l'interphone. Il y avait deux *Bevilacqua*, l'un était suivi d'un S., l'autre d'un G. Les deux frères habitaient le même immeuble. Il s'agissait sans doute d'une maison divisée en plusieurs appartements au cours du temps. Le concierge continua de m'observer pendant que j'enfourchais ma Vespa. Quand est-ce que les Siciliens arrêteraient d'utiliser les *coppole* comme couvre-chefs ? *Quand les poules auront des dents*, conclus-je en voyant la grimace méprisante du concierge, qui semblait avoir deviné ma pensée.

À 20 HEURES, le calme revint dans cette ville que le printemps avait toujours agitée. Le vent soufflait le chaud et le froid sans crier gare. Dans les platanes, les feuilles naissantes coloraient la via Libertà d'un vert tendre. Les Palermitains étrennaient leur veste de coton en dépit des excentricités pluvieuses du mois de mars. Mais, pluie fine ou averse géante, ça restait de l'eau tiède tombant sur une ville assoiffée depuis sa fondation.

Mondello était un marécage depuis des millénaires lorsque, au début du XXe siècle, la sensibilité visionnaire d'un ingénieur milanais avait transformé ce réservoir à malaria en oasis de plaisirs : plages dignes des Caraïbes, pavillons Art nouveau, divertissements. Derrière mon bureau, j'avais punaisé un vieil article de journal qui relatait cette histoire à la fois merveilleuse et tragique.

LA NAISSANCE DE MONDELLO OU L'HISTOIRE D'UN RÊVE PAYÉ AU PRIX FORT

Par une matinée remplie du parfum des figues et des frangipaniers, l'ingénieur Pietro Scaglia se rendit sur un des promontoires du mont Pellegrino et admira pour la première fois le superbe croissant de sable bordant la mer à l'ouest de Palerme. Cette zone, autrefois appelée marais de Mondello, avait été assainie une dizaine d'années auparavant, à la fin du XIXe, par la maison royale de Savoie. L'ingénieur, que son origine milanaise avait pourtant doté d'un bon sens à toute épreuve, se prit à rêver, égarement ô combien fatal ! et vit, comme si c'était vrai, la bande de terre qui s'étendait à ses pieds cinq cents mètres plus bas devenir la plus belle et la plus élégante des cités-jardins italiennes. Scaglia ne revint jamais à Milan ; il ouvrit un bureau en ville, embaucha une vingtaine d'ingénieurs et de dessinateurs, et mit tout en œuvre pour réaliser son rêve. Premier objectif: obtenir de la ville de Palerme cette langue de terre en concession pour, en cinq ans, la transformer en paradis. Mais l'histoire de la Sicile nous apprend que les rêves, à l'instar des bateaux de Maïakovski, se fracassent contre la réalité quotidienne et plongent leur capitaine dans la douleur et la ruine. Ainsi, en 1910, la municipalité choisit d'adjuger la concession à un concurrent, une société italo-belge sortie de nulle part, dont le projet, tout aussi exaltant, fut considéré par Scaglia comme un plagiat à peine voilé.

L'ingénieur milanais, qui avait investi tous ses biens dans l'aventure, ne résista pas à l'affront ; au début des années 1920, par une autre matinée remplie du parfum des figues et des frangipaniers, il se retira dans la campagne palermitaine, choisit un figuier ou peut-être un caroubier et s'y pendit, mettant fin à son rêve privé. Ainsi, comme souvent en Sicile, est-ce à partir d'une tragédie que naquit la légende de la plage de Mondello.

Cet article était une sorte de mémorandum chargé de me rappeler combien la vie et la mort étaient imbriquées à Palerme.

En cette soirée de mars, Mondello m'apparut comme dans les rêves de l'ingénieur: un havre de paix et de plaisir qui paraissait tout droit sorti d'un décor de cinéma. Je longeai en Vespa le bâtiment Art nouveau avec ses piliers de ciment plantés dans la mer, un établissement de bain très chic où ma grand-mère se rendait. Elle descendait dans l'eau directement depuis sa cabine pour que les hommes qui lézardaient au soleil ne la voient pas en maillot de bain. Et quel maillot de bain!

Nous nous retrouvâmes en face de chez Turiddu, à côté

de la place du village. Fabrizio gara sa 4L quasiment devant la trattoria. Nous étions les seuls clients, le poulpe ne cuisait que pour nous. J'entendis presque le metteur en scène crier :

« Moteur ! »

Turiddu nous salua d'un air distrait en agitant son double menton, comme s'il n'avait pas douté une seconde que des clients finiraient par entrer.

— *Assittatevi unn'egghiè*. Asseyez-vous où vous voulez.

Évidemment.

Tout autour, Mondello était un merveilleux désert hors saison.

Avant d'entrer, Fabrizio et moi nous étions embrassés sur la joue. Il sortait de son cours de gestion des biens immobiliers, rien de plus pertinent dans une ville qui a bâti son histoire sur l'immobilité. Il portait une veste en velours ayant appartenu à son père, un entrepreneur célèbre pour sa perspicacité et ses manières rudes.

— Comment ça va ? lui demandai-je en m'asseyant, pas vraiment pressé de savoir pourquoi il avait souhaité qu'on se voie seul à seul.

— Bien, je crois.

— Tu crois ou tu en es sûr ?

Son visage se décrispa, un grand sourire rehaussa ses joues et son regard se fit plus doux.

— Non, je vais bien, je vais bien.

— Tant mieux. J'avoue que ton petit mot m'a un peu inquiété.

— En fait, je voulais te parler de Serena. Il y a de l'eau dans le gaz entre nous.

— Elle est où en ce moment ?

— Chez une amie, une historienne de l'art. Il y a un séminaire sur le baroque place Bologni, à la faculté d'architecture. Je sais qu'un chercheur anglais y intervient, l'auteur de textes qu'elles ont étudiés l'année dernière.

— Et ce Gabriele, t'as vu le numéro ?

Il fallait que je lui en parle. L'appartement était à nous deux, et ce mec en slip était l'ami de sa copine : d'une certaine façon, il en était responsable.

— Je ne pouvais pas le rater. Serena dit que c'est un de ses meilleurs potes. Le soir où il est arrivé on est allés manger des *panelle* à la Cala, et monsieur a voulu nous réciter dix poèmes à lui devant les chalutiers. Dix poèmes, tu te rends compte ?

— Je vois très bien, ce mec est un emmerdeur de première.

— Tu l'as dit. Mais Serena l'aime bien.

— Il a quand même un côté sympa, mentis-je pour clore le chapitre, même si je n'arrivais pas à chasser l'image de notre chambre d'amis devenue un champ de bataille.

Turiddu nous servit du poulpe sans même avoir pris la commande. En souriant, je fis le geste d'un homme qui boit à une chope.

— C'est bon, c'est bon, je vous l'apporte, votre Messina.

Et il repartit en traînant son quintal de cuisine sicilienne que le temps et son métabolisme avaient transformé en lipides et glucides. Turiddu devait avoir quarante ans, mais en paraissait vingt de plus.

Deux minutes plus tard, sa sœur livra la bière sur notre nappe à carreaux. Elle avait dix ans de moins que son frère mais, comme lui, vingt kilos de trop.

— À part Gabriele, c'est quoi le problème ? fis-je, même si j'avais déjà une vague idée de sa réponse.

— On dirait qu'elle est plus tendue que d'habitude. Et ça me fait flipper.

— Commençons par le commencement. Vous faites l'amour ?

— Oui.

— Souvent ?

— D'après elle, pas assez.

— C'est-à-dire ?

— Trois ou quatre fois par semaine. Mais elle voudrait

qu'on le fasse tous les jours, soi-disant parce que ça prouverait que je tiens à elle.

Je repensai à l'attitude provocante de Serena, à la séduction qui émanait de tout son corps. C'était moins une envie de sexe qu'un élan prédateur, elle aimait sentir ses griffes s'enfoncer dans la chair tendre des hommes. Par jeu, ou pour se rassurer.

— Donc elle en veut plus, résumai-je.

— C'est ce qu'elle dit. Mais j'en doute.

— Pourquoi ?

— Possible qu'elle cherche autre chose et que le sexe ne soit qu'un prétexte.

— Tu sais ce qui s'est passé entre elle et Lilli ?

— Serena m'a dit que Lilli avait besoin de se ressourcer chez ses parents, qu'à l'appartement elle n'arrivait pas à se concentrer.

— Ce n'est pas la seule raison, dis-je.

— Il y a quoi d'autre ?

— Lilli trouve que Serena est stressante.

Fabrizio lissa la nappe comme pour balayer des miettes imaginaires. Nous n'avions pas encore touché au poulpe bouilli, toujours chaud. Les quartiers de citron disposés autour de ses *granfe*, ses tentacules couleur pourpre, étaient comme des tranches de soleil matinal.

— J'ai remarqué qu'elles se cherchent, des fois.

— En fait, c'est pas vraiment ça, le problème.

— C'est quoi, alors ?

— Fabri, d'abord tu dois me jurer que tout ce qu'on se dira ce soir n'aura aucune incidence sur notre amitié.

Il répondit sans hésitation :

— Je te le jure.

— OK. Je pense que Serena a besoin d'une cour d'adorateurs, que son snobisme et son arrogance masquent une insécurité profonde. Et, pour y remédier, elle a trouvé un système : maintenir les hommes dans une dépendance émotionnelle.

Toi tu es l'amoureux accusé de ne pas être à la hauteur, moi l'ami à taquiner…

— Taquiner ? C'est-à-dire ?

Sa question me plaça face à un dilemme : dire la vérité et prendre le risque de gâcher notre amitié ou me taire et ne rien changer ? Je n'hésitai pas longtemps :

— Rien, taquiner dans le sens de lancer des piques.

— Et Lilli ?

— Elle fait aussi partie de ses victimes.

Le visage de Fabrizio s'assombrit. La lumière de l'ampoule entourée d'une nasse en guise d'abat-jour avait-elle baissé d'intensité, comme cela arrivait parfois à Palerme ? Ou bien était-ce parce que l'ombre gagnait leur relation, et peut-être aussi la nôtre ?

— Tu as juré, lui rappelai-je.

— C'est bon, continue.

— Rien de plus, c'est son caractère. Le genre de femme dont on tombe raide dingue, mais qui, tôt ou tard, te lamine. Il y a en elle une sorte de force destructrice.

Je piquai un morceau de *granfia* sur lequel je pressai quelques gouttes de citron et le portai lentement à ma bouche. Sur le visage de Fabrizio, c'était le noir total. Et l'éclairage n'avait rien à voir là-dedans. Il but une gorgée de bière.

— Pourquoi tu parles de force destructrice ? me demanda-il en posant sa chope.

— Peut-être parce que je suis trop souvent en contact avec la mort. Cet après-midi, j'étais à l'institut médico-légal, ils devaient autopsier un gars, jeune, élégant, mort *incaprettato*. Les médecins vont certainement reconstituer les raisons de son décès, même s'il suffit d'avoir vu le cadavre pour imaginer ce qui lui est arrivé. Ils examineront les tissus, rédigeront un joli rapport, mais leur analyse restera uniquement scientifique, on ne parlera jamais des traces que les rapports humains ont laissées en lui, comme en chacun d'entre nous. Pourtant, ce sont de vraies cicatrices, même si elles sont invisibles.

Ton histoire d'amour avec Serena te laissera des cicatrices. Veruschka, la fille qui a été défigurée et battue à mort, a laissé des blessures profondes. J'ai compris en parlant avec deux hommes qui l'ont aimée que rien ne pourra soulager leur douleur.

— Qu'est-ce qu'elle leur faisait, cette Veruschka ?

Apparemment, mon récit lui avait fait oublier Serena.

— Elle se vendait, et elle aimait les hommes auxquels elle se vendait. Elle leur prenait de l'argent pour *ficcare*, pour baiser, mais elle les embrassait comme une amoureuse. Et en plus elle jouissait.

— Une *pulla*, une pute qui jouit ?

— C'est ce qu'ils racontent.

— Qui, ses clients ?

— Oui, enfin, on dirait plutôt des *veufs* éplorés.

Fabrizio fit une grimace qui pouvait passer pour un sourire.

— Tu veux dire qu'ils étaient amoureux d'elle ?

— Il semblerait.

— Hmm, comme Dorigo, l'architecte..., dit-il en alignant ses couverts sur la table.

— Qui c'est ? Un de ses clients ?

— Non, c'est un personnage de roman, un Milanais.

— Raconte.

— Le livre s'appelle *Un amour*. Ça ne vient pas de sortir, c'est de Dino Buzzati, tu connais ?

— C'était un grand journaliste du *Corriere della Sera*, en terminale j'ai lu *Mystères à l'italienne*, ça m'a marqué...

— Faudrait que tu lises celui-là parce que c'est l'histoire d'un architecte qui tombe éperdument amoureux d'une *pulla* qui a un prénom incroyable : Laïde.

— *Minchia*... D'où il sort, ce prénom ?

— Diminutif d'Adelaïde.

— Et qu'est-ce qu'il lui arrive, à Laïde ? Elle finit assassinée, comme Veruschka ?

— Non, ça se finit bien. Mais tout le roman est centré

sur cette question : comment peut-on tomber amoureux d'une *pulla* ?

— Et alors, c'est quoi l'explication ?

— Il n'y en a pas, on tombe amoureux, point. La vie est pleine de surprises. L'architecte a une vie de merde, et il considère Laïde comme son seul espoir.

— Les veufs de Veruschka auraient eu une vie de merde ? Le galeriste est du genre dépressif, c'est vrai. Mais l'autre…

— J'en sais rien. En tout cas, si tu as le temps, lis-le.

— Promis.

— Je te le prêterai à condition que tu me dises ce que je dois faire avec Serena.

— Laisse faire le temps. La vie est pleine de surprises.

Il sourit :

— Eh, je te parle de Serena, pas de Laïde.

Je lui souris en retour.

— Qui sait, tout peut arriver. On a la vie devant nous…

— Mais on n'est plus des gamins, objecta-t-il.

Je me tus. À ce moment-là, je donnai raison à mon meilleur copain : après tout, on avait déjà vingt-cinq ans, trois de plus que Mameli quand il avait été assassiné et deux de moins que Giulio Andreotti quand il avait été élu à l'assemblée constituante.

— C'est vrai, on bosse, on est des grands maintenant.

Sur ce, j'appelai Turiddu et commandai deux Chupa Chups en dessert. Nous éclatâmes de rire. Le chapitre Serena était momentanément clos.

En partant, nous jetâmes un dernier coup d'œil sur le golfe de Mondello, éclairé par les réverbères de la promenade. On aurait dit une marine du XIXe dans une salle plongée dans le noir.

Si je ne fus pas très utile à Fabrizio ce soir-là, j'avais au moins le mérite de lui avoir changé les idées en orientant sa réflexion sur les différentes formes d'amour que la vie nous présente : Lilli, Serena, Veruschka. À notre âge, nous ne pouvions en avoir qu'une vague idée. Serena ne deviendrait pas la femme de sa vie, ni de la mienne. La fougue de nos vingt ans nous faisait voir la réalité sous un angle néoréaliste, comme des images en noir et blanc qui ne nous permettaient pas d'apprécier les nuances des personnalités féminines, le véritable mystère auquel Fabrizio, moi et tous les autres jeunes du monde devrions nous confronter en grandissant.

Nous rentrâmes dans un appartement où Cicova était le seul maître de maison. Gabriele était en vadrouille dans un bus, Lilli chez ses parents, Serena quelque part avec son ego. Et il était trop tard pour appeler Amanda.

Appartement de Veruschka, 22 h 30

— Je mets quoi, la mauve ?

Le gentil garçon la regarda sans comprendre.

— Je parle de ma robe. Tu préfères la noire ou la mauve ? La mauve irait bien avec mon collier, dit-elle en indiquant son bijou en grenat.

— Vu comment va finir la soirée, ça change pas grand-chose.

Le gentil garçon quitta la table pour aller s'asseoir sur le canapé en similicuir marron.

Veruschka sentit que son humeur avait changé et n'apprécia pas le ton sur lequel il lui avait répondu. Elle ignorait ce que le temps enseigne à toutes les femmes : le ton d'un homme amoureux a toujours un accent plaintif.

Le gentil garçon portait une tenue quelconque. Un pantalon beige à pinces, une chemise bleu clair sous un pull col V en acrylique gris et des chaussures bien trop chaudes pour une ville où l'hiver n'est jamais rigoureux.

— Vera, ne va pas travailler, lui lança-t-il tandis qu'elle finissait de ranger.

— Arrête tes bêtises.

— Je suis sérieux. On pourrait rester ici, voir ce qui passe à la télé, ou écouter un disque…

Vera releva ses cheveux comme pour se faire un chignon ; son regard balaya la pièce avant de se poser sur lui.

— Hors de question ! J'ai besoin de gagner du fric, qu'est-ce que tu crois ?

Le seul bruit provenait du lecteur qui tournait à vide. Elle retira la bande et en prit une autre au hasard.

— Il est 10 h 30. Après cette bande, je pars au Lady Jim.

Il fit oui de la tête. Un oui résigné qu'il prononça dans

son for intérieur, les dents serrées. Il aurait voulu le lui dire maintenant, profiter de la magie du saxophone qui venait de faire son entrée.

Il se lança.

— Vera, je suis amoureux de toi.

Ce fut comme si un coup de vent avait brutalement ouvert la fenêtre. Puis il avala lentement ses mots, et avec eux la peur que lui inspirait cet aveu.

Elle s'immobilisa, puis se dirigea vers le lecteur et appuya sur le bouton pause. Fini la musique, à la poubelle le saxo.

— Qu'est-ce que tu veux dire ?

Il baissa les yeux en enroulant la manche de son pull autour de son index.

— Que je suis amoureux et que je veux sortir avec toi.

Quand il leva les yeux, le regard de Vera était froid et distant.

— Moi je ne suis pas amoureuse de toi, ni de personne d'autre. Tu connais mon métier…

— Je sais, je sais. Mais tu peux toujours en changer.

— Je n'en ai aucune envie. J'ai décidé de gagner de l'argent, et de le gagner de cette façon. J'aspire à un avenir différent de celui de mes parents et de la plupart des gens d'ici.

— Moi je pourrais te l'offrir ! Je pourrais monter une entreprise en bâtiment. Mon oncle est dans le secteur, il a déjà des ouvriers. Je pourrais rénover plein d'immeubles, peut-être même en construire. De l'argent, je peux en gagner plein, autant que tu veux, affirma-t-il, emporté par son imagination.

— Non. Je veux atteindre l'objectif que je me suis donné. J'ai quitté mon pays pour ça, je couche avec des vieux dont je me fiche, mais que je sais faire rêver. Ils ont leur rêve, moi le mien. Tu comprends comment ça marche ?

Le gentil garçon reçut ces mots acérés comme des éclats de verre en plein cœur. Une torture à la fois douloureuse et raffinée. Il s'attendait à autre chose, avait imaginé qu'elle balbutierait des mots tendres, qu'elle s'abandonnerait dans ses bras. Lui aussi cultivait ses rêves.

Le cimetière des Rotoli est le belvédère des morts, avec une vue à couper le souffle sur la mer au niveau de Vergine Maria. Depuis chacun de ses recoins, on peut admirer une immensité de bleu sur laquelle se découpe la silhouette des frangipaniers et des croix des chapelles nobiliaires. Ce matin-là, les Bevilacqua, famille de blanchisseurs, s'offraient le privilège de funérailles aux Rotoli. Ils enterraient Stefano, restitué au chagrin de ses proches après l'autopsie.

Je m'étais mis en retrait, adossé à la paroi lisse du caveau de la famille Caronia. Les plaques funéraires indiquaient que deux générations reposaient sous le marbre. De là, je pouvais observer le mur des sépultures, qui ressemblait à un immense meuble à tiroirs. Le cercueil en noyer de Stefano Bevilacqua y avait été introduit, des maçons s'apprêtaient à sceller la niche avec du ciment à prise rapide. Près d'eux se tenaient deux personnes âgées qui se soutenaient l'une l'autre, sans doute les parents, et un homme entre trente et quarante ans, robuste, avec un imperméable vert militaire totalement inapproprié en cette matinée radieuse. Ce devait être le frère.

Je m'approchai du groupe, les mains enfoncées dans les poches arrière de mon jean.

L'homme robuste tourna la tête dans ma direction tandis que j'esquissais un signe de croix en effleurant mon front. La famille Bevilacqua était à deux pas de moi. Je décidai d'y aller franchement. Il fallait bien que je raconte quelque chose sur ces funérailles dans mon article.

— Mes condoléances, dis-je à la mère, au père puis au fils.

Personne ne me répondit ni ne serra la main que j'avais tendue.

— Qui êtes-vous ? demanda le frère.

Je me présentai, expliquant que le journal m'avait chargé de vérifier que tout allait bien.

— Que tout va bien ? Ici tout va mal, me dit-il à voix basse, avant d'ajouter qu'il s'appelait Gaspare.

Ses parents allèrent s'asseoir sur un banc. Gaspare avait les yeux rouges, il me regardait d'un air un peu absent, mais ne semblait pas hostile.

— Maintenant que vous avez vu, vous pouvez partir. Mon frère est dans une tombe, mes parents sont à ramasser à la petite cuillère. Que dire d'autre ? Vous pouvez retourner tranquillement à votre journal.

— Je vous remercie, monsieur Bevilacqua. Mais je voudrais en profiter pour éclaircir certaines choses.

— Nous avons déjà tout dit à la police. Nous ignorons qui a pu infliger ça à Stefano.

— Bien sûr. Mais avez-vous remarqué des changements dans son comportement ces derniers temps ?

— Absolument pas. C'était un garçon sérieux, il n'avait pas d'ennemis. Il passait sa journée au pressing, à travailler et à bavarder avec les clients. Le dimanche, il jouait au foot au Malvagno, vous voyez le terrain près du stade des Palme ?

— Parfaitement. J'y ai joué, des fois, du temps où je n'étais pas encore journaliste. La moindre pluie le transformait en marécage.

Gaspare parut apprécier que je connaisse ce petit terrain.

— Mon frère travaillait et jouait au foot. Point.

— Il n'avait pas d'amis, de copine ?

Gaspare Bevilacqua se passa une main sur le front comme pour se masser.

— Non. Je l'ai déjà dit à la police.

— Même pas un *ingrizzo*, une petite liaison ?

— Non.

— Pardon, Gaspare, mais vous n'avez jamais vu votre frère avec une fille ? Vous êtes sûr qu'il n'était pas…

— Qu'est-ce que vous voulez dire ?

— Rien. C'était juste une question.

— Mon frère était tout à fait normal, un garçon sérieux. Maintenant ça suffit, je dois ramener mes parents à la maison.

Le lien ténu que j'avais établi avec lui était sur le point de se rompre.

— Pardon de vous avoir fait perdre du temps.

Je l'accompagnai vers le banc, ne sachant pas quoi faire pour préserver ce lien.

Je lui demandai la première chose, ou la dernière, qui me passa par la tête.

— Il n'y avait pas une fille qui intéressait votre frère ?

Gaspare s'arrêta à deux pas de ses parents. Ses yeux rouges fixèrent les miens :

— Il est vraiment temps que vous partiez.

— J'ai dit ça comme ça, reconnus-je.

— Disons qu'il n'y avait rien de sérieux.

— Vous connaissiez la fille ?

Il se massa à nouveau le front et me regarda droit dans les yeux.

— Non, je ne la connaissais pas. Par contre, j'apprends à connaître le malheur.

Et il se tourna vers ses parents sans rien ajouter.

Il mentait. Il avait vécu en symbiose avec son frère pendant des années, jusqu'à sa mort. Quand on travaille côte à côte, les occasions de discuter et de se confier ne manquent pas. Je décidai d'accepter sa version des faits, on aurait le loisir d'en reparler. Je le remerciai, convaincu que le fil, bien que ténu, avait résisté, et lui tendis une main que cette fois il serra. Je saluai ses parents d'un geste. La femme leva les yeux vers moi, et j'eus l'impression que ses lèvres prononçaient : *mon enfant*.

DEVANT LE JOURNAL, je tombai sur Filippo. Sa sacoche de photographe en bandoulière, il fumait une cigarette au soleil.

— Te voilà enfin ! s'exclama-t-il tandis que je mettais ma Vespa sur béquille.

— Je reviens du cimetière des Rotoli. J'ai parlé avec le frère de l'*incaprettato*.

— Qu'est-ce qu'il t'a dit ?

— Qu'il y avait peut-être une *picciotta* dans l'affaire.

— Il t'a dit clairement qu'il y avait une fille là-dedans ou…

— Il me l'a fait comprendre.

— Tu sais qui c'est ?

Je répondis par la négative avec un clappement de langue sur le devant du palais accompagné d'un mouvement du menton.

— Lui, par contre, il le sait, ajoutai-je.

— Lui qui ?

— Gaspare. Son frère.

— Il compte nous le dire quand ?

— Il faut que je le revoie.

— OK.

Filippo éjecta le mégot de sa Marlboro, usant de son pouce et de son majeur comme d'une catapulte.

— Si tu veux, on peut aller parler tout de suite avec Tony Casuccio, le gérant du Lady Jim.

— Je veux bien, mais comment on s'y prend ?

— Facile. Mon beau-frère est un ami de son père. Je lui ai demandé de l'appeler et de lui demander de me recevoir. Casuccio lui a dit qu'on pouvait y aller aujourd'hui vers midi.

Je regardai ma montre. C'était jouable.

— Je préviens le chef.

Saro me vit débouler en trombe, comme si j'avais quelqu'un aux trousses.

— *Attìa !* Sansommeil, viens là.

Sa moustache s'étira pour suivre la courbe de son sourire amical.

— Il faut que j'aille voir le chef, Saro, je suis pressé.

— Je le vois bien. Mais montre-moi un peu ces yeux.

Je m'approchai de son bureau.

— Ça ne va pas ? fit-il.

— Pourquoi tu me demandes ça ?

— Tu n'as pas de cernes. Qu'est-ce qui s'est passé ? L'amour s'est envolé ? s'enquit-il, faisant mine d'être soucieux.

— Mais non, Sariddu.

— Si c'est le désir qui s'est envolé, c'est pire ! Tu es quand même un peu jeune pour choisir la chasteté…

— Saro, j'ai tout ce qu'il me faut. C'est juste qu'il est 11 heures et que tu n'es pas habitué à me voir aussi tard. Depuis ce matin 7 heures, mes yeux ont eu tout le temps de s'ouvrir normalement.

— Ça doit être ça, acquiesça-t-il.

Je consultai ma montre avec insistance.

— Allez, Sariddu, laisse-moi aller voir le chef.

Je me dirigeai vers l'escalier, puis me retournai pour lui crier :

— Mais, sur l'amour, tu as peut-être raison.

J'entendis son conseil moqueur :

— *Vatastala*, va te la toucher.

Une expression assez peu féminine.

Je résumai la rencontre au cimetière à mon rédacteur en chef, puis lui annonçai qu'avec Filippo on comptait rencontrer le gérant du Lady Jim.

— Félicitations, deux articles en une journée : l'*incaprettato* et Veruschka, lâcha Reina.

Je ne savais pas s'il se fichait de moi.

— Je rassemble du matériel.

— Tu comptes te mettre à écrire quand ?

Au mieux, je serais de retour au journal à 14 heures. Complètement hors délai.

— Demain ? proposai-je.

— Tu passes de la rédaction de deux articles à zéro en une seconde. Bravo, répondit-il en remuant un fond de café dans sa tasse en porcelaine épaisse.

Il fit une pause théâtrale et ajouta :

— Le directeur t'a à la bonne, tu sais.

— Le directeur ?

— Il réfléchit à qui il va embaucher. Vous êtes trois *blondinets*. L'un d'entre vous pourrait décrocher un contrat cet automne.

Je frissonnai. J'avais trente-trois pour cent de chances d'entrer en apprentissage et d'être intégré dans le véritable cursus professionnel. Le directeur m'avait à la bonne… J'avais envie de sauter au cou de Reina et, surtout, de savoir comment réussir l'examen invisible que j'étais en train de passer. Comment plaire au directeur ? Comment le convaincre que j'étais la personne à embaucher ? Reina comprit sans doute qu'un débat animé se déroulait dans ma tête.

— Qu'est-ce que je peux faire ? lui demandai-je, faisant allusion à tout : Veruschka, *incaprettato*, embauche.

— Pour commencer, filer à ce rendez-vous avec Filippo et me rapporter les photos des autres *pulle* qui travaillent là-bas. Au moins, on aura de belles images, pas vrai ?

— Oui.

Il alluma une MS et se tourna vers Tutrone, qui entama aussitôt son laïus :

— Tu dois savoir que la Démocratie chrétienne…

Je partis sans demander mon reste : la Démocratie chrétienne était le cadet de mes soucis.

Le torse de Tony Casuccio était couvert d'une toison exceptionnellement compacte et fournie, une moquette poivre et sel digne d'un appartement anglais. Une médaille à l'effigie de sainte Rosalie était enfouie dans le tapis central. Je pus étudier ces détails grâce à sa chemise turquoise déboutonnée jusqu'au nombril ou presque, assortie à ses yeux bleus qui tranchaient sur son visage rond et hâlé. Bien qu'il ne soit que midi, il était déjà en tenue de soirée – selon ses critères.

— Suivez-moi, je vous offre un café.

Il me dévisagea et ajouta :

— C'est toi le frère du gendre de Santo Di Pasquale ?

— Non, c'est moi, corrigea Filippo en souriant.

— Moi je suis un ami, on travaille ensemble au journal. J'écris..., expliquai-je.

— ... et moi je prends des photos, compléta Filippo en tapotant sa sacoche Tenba, où ses Nikon étaient rangés.

Tony Casuccio fit signe au serveur :

— Trois cafés, Pino.

Nous prîmes place dans des fauteuils de satin beige, autour d'une petite table ronde laquée de noir. L'éclairage était tamisé, mais pas autant que de nuit – c'est du moins ce que je supposai. La pénombre interrompue çà et là par les spots donnait l'impression que le club était plus petit que dans les descriptions du baron et du galeriste, les *veufs* de Veruschka.

Tony Casuccio et Filippo recensaient toutes leurs connaissances en commun : beaux-frères, beaux-pères et compagnie. À Palerme, l'amitié devient rapidement une sorte de lien de parenté, et la promotion au titre d'oncle, *zio*, est toujours possible, même si elle ne garantit rien. *Zu*, tonton, est une marque de respect utile dans les relations sociales, mais insuffisante pour protéger des balles. La mémoire des tueurs de

Cosa Nostra était remplie de *Zu Tano* et de *Zu Saro* abattus sans états d'âme.

Tandis qu'ils discutaient, mon imagination tentait de reconstituer l'atmosphère des nuits au Lady Jim. L'ambiance sensuelle, le travail de ces femmes qui se vendent pour vivre, et les attentes de ces hommes venus déverser ici leurs rêves inavoués. Le baron Bruno Capizzi di Montegrano et le galeriste Giovanni Vassallo avaient assumé leur rêve d'amour, mais Veruschka avait été massacrée avant d'en mesurer la portée. Ils l'aimaient. L'avait-elle deviné avant de mourir ?

En fermant les yeux, j'entendis le frou-frou des robes de soie et humai le parfum frais de la peau d'une fille de ma génération : elle était tchécoslovaque, mais elle aurait tout aussi bien pu être romaine, triestine ou sicilienne. Nous avions plus ou moins le même âge, mais nos vies évoluaient dans des milieux différents. Moi, je naviguais entre mafia et préoccupations sentimentales, elle entre whisky et rapports sexuels. Je pensai un instant à Lilli, au soulagement que j'éprouvais quand j'étais dans ses bras. Je me demandai où Veruschka avait trouvé un peu de répit durant ses années palermitaines. Dans l'amour d'hommes plus âgés ? L'argent ? L'espoir d'une vie nouvelle, loin du tapin et des nuits alcoolisées ? Quel genre de vie nouvelle, d'ailleurs ? Rêvait-elle vraiment de devenir une star de la télé ? Son horizon était-il vraiment le « Tuca Tuca » ?

Je rouvris les yeux. Aucune réponse ne se profilerait tant que Filippo et Tony Casuccio continueraient à égrener leurs connaissances communes et leurs parents éloignés.

— … vous comprenez, monsieur Casuccio, nous on est des *picciotti*, des petits jeunes obligés de travailler pour vivre.

Je m'immisçai dans leur conversation avec un sourire, hochant exagérément la tête :

— Eh oui, il faut bien qu'on travaille si on veut vivre, repris-je.

Même qu'on s'en sortirait mieux si Casuccio nous disait ce qu'il savait sur Veruschka.

— Excusez-moi, monsieur Casuccio, je peux être franc ?

Le gérant me regarda :

— Pourquoi, jusqu'à présent vous étiez hypocrite ?

Je voulais lui demander s'il connaissait les détails de la vie privée de Veruschka. Je supposais qu'il était au courant de ce qui concernait la rétribution. Mais du reste ?

Je me jetai à l'eau, sans relever sa blague :

— Vous savez si cette fille était amoureuse ?

— Pas que je sache. Elle ne voyait ici que des gens respectables.

— Vous voulez dire des mafieux ?

Pour être franc, j'étais franc.

Casuccio me regarda comme si j'étais dérangé.

— Qu'est-ce que vous racontez ? C'est un club sérieux. Nos clients sont des gens bien, ici on ne leur demande rien…

— Et sûrement pas de montrer l'extrait de leur casier judiciaire.

— *'Nca cierto.*

— Bien sûr que non, répétai-je. Pas de casier judiciaire.

Je fis une pause, cherchai des yeux Filippo, qui errait entre les tables du club.

— J'ai une autre question…

— Je vous répondrai si je peux, mais après le café.

Pino était là, un plateau à la main. Trois tasses fumantes et un sucrier rond en verre avec un bec verseur en acier. Nous avalâmes le café d'un trait, coup de fouet de fin de matinée.

Casuccio semblait apaisé par le shoot de caféine. Il me regarda avec bienveillance :

— Vous disiez ?

— Je voulais savoir si un des clients était particulièrement attaché à Veruschka, s'il lui faisait la cour.

— Tout le monde lui faisait la cour. C'est la fille la plus belle et la plus gentille que j'aie jamais eue.

Ça aussi c'était franc.

— Comment ça, « eue » ?

— Comme employée, je veux dire, précisa Casuccio.

— Ah…

— Je ne mélange pas plaisir et travail, ajouta-t-il.

— Excusez-moi, je voudrais vous demander un service de la part de mon chef : avez-vous des photos des autres filles qui travaillent pour vous ?

— Vous voulez faire un catalogue ?

— Juste enrichir l'article.

— On est déjà riches, ici !

Hilarant.

Filippo prit une photo du bar. J'imaginai le cadrage : Pino qui remplit des verres, les bouteilles alignées, les tabourets hauts, le bord du comptoir en acier chromé.

Casuccio approcha la tasse de ses lèvres pour boire une dernière goutte imaginaire.

— Permettez-moi d'insister. Personne ne faisait assidûment la cour à Veruschka ?

— Pas que je sache. En tout cas, pas dans mon club.

— Et en dehors ?

— Ça, il n'y a qu'elle qui aurait pu le dire, répondit-il en tripotant sa médaille de sainte Rosalie.

Je le remerciai, Filippo lui demanda s'il pouvait le prendre en photo devant le Lady Jim. Tony Casuccio accepta. Nous sortîmes dans la lumière aveuglante du printemps palermitain. Une Yamaha GSX passa, produisant le même bruit subtil qu'une seringue qu'on enfonce dans une fesse. La ville avait besoin d'un remontant. Tony Casuccio reboutonna un peu sa chemise et chaussa ses lunettes de soleil avant de prendre la pose. On se serait crus à Atlantic City.

Pourtant, nous étions à deux pas du quartier de Sperlinga, le plus résidentiel du Palerme récent, composé pour l'essentiel d'immeubles à deux étages avec jardin et minigolf cachés derrière des portails électriques. Il avait été construit par l'Immobiliare Vaticana au début des années 1960 autour d'un parc appelé Villa Sperlinga, peut-être en l'honneur de la petite ville homonyme perchée sur les flancs des Nébrodes. Pendant des années, la gauche la plus fêtarde et la plus radicale de la ville s'était donné rendez-vous sur ses pelouses, juste devant les grilles qui protégeaient la vie tranquille de politiciens de haut rang et de notables aisés. Des jeunes qui grandissaient dans le mouvement, discutaient politique, se scindaient en groupes et groupuscules et qui, une fois les débats finis, se réunissaient pour organiser des soirées, des occupations ou plus simplement pour fumer de l'herbe dans l'herbe rare du parc.

Le soir du 9 mai 1978, le cortège furibond de scooters et de Vespa qui avait rejoint Cinisi pour crier sa colère sous les balcons du parrain Tano Badalamenti était parti de ce parc. Quelques heures avant, deux cadavres avaient été retrouvés : celui d'Aldo Moro, enfermé dans une R4 garée dans la via Caetani, à Rome, et celui de Peppino Impastato, déchiqueté par les explosifs sur les rails de la gare de Terrasini.

Peppino animait dans la région une radio semblable à celle où je travaillais à Palerme, comme beaucoup d'autres jeunes du mouvement. La sienne s'appelait Aut, la nôtre, Sud. On donnait à Peppino les émetteurs qu'on n'utilisait plus. On était au courant de son énorme travail contre la mafia sur ce territoire fermé et hostile où Cosa Nostra avait fait construire Punta Raisi, l'aéroport le plus scandaleux d'Italie, au pied d'une montagne qui était le fief incontesté des Badalamenti. Peppino dérangeait beaucoup. Il se moquait du parrain que, par analogie avec Toro Seduto, « Sitting Bull », il appelait *Tano Seduto*, et révélait ses exactions et ses complots. Ni les menaces de ce dernier ni les conseils de ses parents et amis n'ébranlaient sa détermination. Il opposait un raisonnement simple aux diverses pressions : il était un homme libre qui exprimait pacifiquement ses opinions et informait les auditeurs. Une simple vérité qui, à l'époque à Palerme, était pure utopie. Pour nous, Peppino était un collègue et un ami. Mais nous étions plus proches de son frère, qui tenait une épicerie sur la route de Carini, à quelques kilomètres de l'endroit où ma sœur et moi passions nos étés quand nous étions adolescents. C'était un excellent boulanger et *pizzaiolo* et, lors de nos virées nocturnes en scooter, en quête de nos premiers amours, nous faisions étape chez lui pour grignoter et boire une bière en sa compagnie.

Quand Peppino avait été retrouvé en morceaux sur les rails – une mise en scène ignoble pour simuler un attentat raté où le poseur de bombes aurait laissé la vie, thèse aussitôt adoptée par quelques enquêteurs –, nous, qui connaissions la vérité sur la personne qu'il était et sur son engagement, avions été pris d'une colère volcanique. Ce 9 mai 1978, à 20 heures, après que la Villa Sperlinga eut exprimé son chagrin et sa rage, nous avions décidé de nous rendre tous ensemble à Cinisi pour manifester notre révolte. Le cortège de scooters avait parcouru les vingt kilomètres entre Palerme et Cinisi et avait occupé la place devant la demeure du parrain. Nous étions une ou deux centaines de jeunes gens qui criions des slogans de défi sous les fenêtres de la maison de Badalamenti.

Ma copine de l'époque, oui, la douce Faye Dunaway aux yeux chocolat que j'avais piquée à un ami, m'avait tapé l'épaule pour me montrer un garçon sur ma gauche : un type aux cheveux longs, qui avait tiré un revolver de sa besace et l'agitait en l'air. Aussitôt, un cordon de camarades l'avait entouré, l'avait neutralisé et l'avait traité d'imbécile. Le type avait rangé le revolver dans son sac et s'était éloigné, humilié de constater que son courage n'avait pas été récompensé. Pendant une demi-heure, nous avions continué d'adresser nos slogans inutiles aux persiennes closes. Puis nous étions rentrés à Palerme, démoralisés. Nous savions deux choses : que Peppino Impastato avait été assassiné, et que ce drame nous touchait bien plus que la mort d'Aldo Moro.

Appartement de Veruschka, 23 heures

— Et puis tu sais quoi ? dit Vera en passant ses robes en revue.

— Non.

— Tu ne me plais pas tellement. Je t'aime bien, mais je ne coucherais pas avec toi. Pas gratuitement, en tout cas.

Le gentil garçon se tassa sur le canapé : il regarda ses pieds, étudia la pointe de ses chaussures en cuir, se dit qu'il fallait qu'il les cire. Tandis qu'il imaginait une brosse allant de droite à gauche et de gauche à droite, sa température interne monta soudainement. Son corps incandescent lui fit penser au four à bois de la pizzeria de son oncle Antonino.

— Vera, combien tu veux pour faire l'amour ?

La phrase sortit à brûle-pourpoint, sur un ton de défi.

— Rien. Je sais que tu ne peux pas te le permettre. Restons-en là.

Le gentil garçon avait vingt-neuf ans. Ce n'était plus un gamin. C'était un homme, et un homme prend ce dont il a envie.

Il se leva et s'approcha de Vera.

— Qu'est-ce que tu veux ? lui demanda-t-elle dans l'espoir de faire diversion avec les mots.

— Embrasse-moi.

Sa chaleur ne cessait de monter, et sa pudeur de diminuer. Au fond, cette fille splendide l'avait toujours intimidé. Il en avait été l'esclave.

— Non. Je t'ai déjà dit que je veux qu'on reste des amis.

— Ce n'est pas possible. Je suis amoureux de toi.

— Encore…

— Embrasse-moi.

La chaleur.

Vera était devant son armoire, dont les portes ouvertes révélaient sa collection de robes de travail : une vingtaine, allant de l'or au noir, beaucoup étaient rouges et quelques-unes vertes. Et puis la robe mauve, qu'elle caressait de la main droite. Il prit sa main gauche. Elle eut un mouvement de recul, mais il était trop près. Son haleine sentait la pizza. Il lui baisa la joue une, deux, trois fois, comme un pic tapant sur l'écorce. Elle se raidit, elle n'aurait pas dû lui proposer de dîner avec elle. Il voudrait aller plus loin. Elle, elle voulait juste échapper à cette drôle de situation et retourner à sa vie, au Lady Jim. Et ne plus jamais le revoir.

— Qu'est-ce que tu veux ?

— Je veux *ficcare*. Maintenant, répondit-il d'un ton sec.

Le verbe « baiser » était plein de brutalité palermitaine, sans détour. Elle décida de désamorcer cette violence.

— Pas maintenant. Peut-être la prochaine fois, essaya-t-elle de temporiser.

Il s'empara d'elle durement, tritura sa poitrine, son corps délicat. Il la maltraitait. Elle resta de marbre. La scène n'avait rien d'érotique : une magnifique jeune fille écrasée contre son armoire par un jeune homme ordinaire dont les mains la fouillent avidement sans qu'elle manifeste le moindre plaisir.

— Allez, arrête, dit-elle, croyant avoir encore le contrôle de la situation.

Il ne répondit pas, mais cessa de la toucher. Il lui adressa un regard trouble et serra les dents, qui crissèrent imperceptiblement.

Le cri de cigale de l'interphone retentit.

Une fois, puis plus rien, une autre fois, plus longue.

Vera soupira, sans bouger.

— Qui c'est ? demanda-t-il.

— Je ne sais pas.

— Alors va voir.

L'ordre lui parut pire que ses mains sur ses seins.

Elle alla répondre :

— D'accord, monte, dit-elle d'un ton dégagé, comme si elle venait de finir la vaisselle.

C'était le garçon qui voulait devenir avocat. Mieux valait être trois que deux.

— Il y a quelqu'un ?

Ma question n'obtint aucune réponse, l'appartement était muet. Fabrizio n'était pas là, Serena non plus. Lilli n'était pas là depuis trop longtemps. Et, par chance, Gabriele n'était pas là non plus.

Je jetai mon blouson en toile sur une chaise de l'entrée. Dans le séjour, la lumière naturelle enveloppait chaleureusement les objets. Une envie soudaine de tranches de fromage Kraft me poussa vers la cuisine, où je dévorai quatre sandwichs avec le pain de mie San Carlo trouvé dans le placard. J'ouvris une bouteille de Messina puis, après avoir ôté mes Clarks, je m'allongeai sur le canapé, posant ma tête à dix centimètres de Cicova qui dormait en boule. Ça manquait de musique. J'aurais bien aimé que le chat se réveille, qu'il prenne un vinyle et le place sur la platine. On aurait pu discuter du choix du disque, mais j'aurais été prêt à écouter Toto Cutugno du moment que je n'avais pas à me lever. Cicova s'étira, émit un bruit de félin et se repelotonna. Au ralenti, je pris le premier disque de la pile, le *Concerto n° 1* de Chopin avec Pollini au piano, le mis sur la platine et allai me recoucher.

J'envisageai d'appeler Amanda, ce n'était pas poli de disparaître sans donner de nouvelles. Un de mes amis d'enfance, dont j'étais très proche, soutenait qu'il fallait coucher au moins deux fois avec une personne : une seule fois c'est malpoli, on donne l'impression que ça ne nous a pas plu. On riait de cette règle qu'il nous arrivait d'enfreindre, vu les sollicitations multiples de ces années-là. J'apprendrais avec le temps que *One night standing* est en réalité préférable à *Two nights standing* : ça engage moins, et ça ne peut pas être considéré comme une promesse.

Je préférai appeler Lilli, en espérant qu'elle serait restée à la librairie pour manger son sandwich. Elle répondit aussitôt.

— Allô ?
— Salut, Lilli.
— Salut.
Elle avait l'air surprise.
— Tu es au journal ?
Pourquoi les gens veulent-ils toujours savoir où se trouve la personne au bout du fil ? Imaginer quelqu'un dans un lieu rend sans doute la conversation plus vraie, y compris les mensonges, que l'on raconte justement au téléphone parce que tout est moins tangible.
— Non, je suis chez nous.
Chez nous.
Qui englobe ce « nous » ?
— Moi je suis à la librairie.
— Je sais bien puisque c'est moi qui t'ai appelée.
Elle eut un rire gêné.
— C'est vrai, je suis bête.
— C'est pour ça que tu me plais. Tu me manques, tu sais.
— On peut se voir, si tu veux. Mais à l'extérieur…
— Pourquoi pas chez nous ?
— Parce que dans cet appartement…
— J'ai été con de ne pas m'apercevoir qu'elle profitait de toi…
— Ou peut-être de toi.
Le silence dura quelques secondes. Aucun de nous n'avait prononcé le nom de Serena.
— Peut-être, dis-je. Mais ce soir j'aimerais que tu viennes dormir avec moi.
— Franchement, je…
— S'il te plaît, Lilli. J'ai l'impression d'être une ville abandonnée.
Le registre mélodramatique marche toujours avec les filles gentilles.
— T'es vraiment con, répliqua-t-elle.
Et j'imaginai son sourire.

— Je sais. Mais je suis aussi un bon cuisinier, je te préparerai tout ce que tu voudras.

— Je préfère apporter des *arancine* de chez Alba.

— D'accord.

— Ma brosse à dents est encore là ?

— Je l'ai entourée de fil barbelé. Malheur à qui ose s'en approcher.

— Il y aura Fabri et elle ?

— Je crois que oui. Il y aura peut-être aussi Gabriele, un poète lombard.

— Qui c'est ?

— Je t'expliquerai plus tard, mais tu comprendras vite, dis-je en laissant planer le mystère.

— Très bien, alors je prends dix *arancine*, cinq à la viande et cinq au beurre.

Lilli semblait ne vivre que pour faire plaisir, comme si elle portait en elle une grande partie de la grâce du monde.

— Je m'occupe du vin et du dessert, dis-je.

On se salua en se promettant des câlins à la française. C'est comme ça qu'on appelait pour plaisanter notre manie un peu primitive de nous frotter l'un contre l'autre.

— T'es con, mais je t'aime.

Puis elle raccrocha.

Je me sentais con, c'est vrai, mais bien plus heureux qu'avant.

Je mis l'autre face du disque de Pollini et allai dans ma chambre. Le numéro d'Amanda était posé sur mon bureau. Je le mis dans ma poche, m'emparai de *The Long Goodbye* posé sur la table de nuit au-dessus de *La Clé de verre*, et revins m'allonger sur le canapé. J'en étais à la page 75 où, comme souvent, Philip Marlowe avait une folle envie de se mettre la tête à l'envers. Il commença à boire quelques pages plus loin, tout en prenant de vaines résolutions : *Et la prochaine fois que je vois un gentil garçon soûl perdu dans une Rolls Silver Wraith, je prends mes jambes à mon cou. Il n'y a pire piège que celui qu'on se tend à soi-même.* Aucun doute, Raymond Chandler était du genre mélancolique. Il connaissait parfaitement notre propension autodestructrice. Vera avait-elle un tempérament mélancolique elle aussi ? Une jeune femme qui avait déplacé les limites entre le bien et le mal établies par sa famille et sa culture pour trouver une nouvelle place dans le monde avait dû se sentir bien seule, dans ce Palerme qui la rendait riche. Peut-être était-elle seulement triste de manquer d'amour, ou plutôt d'en avoir trop. Il n'y a pas de mesure dans les sentiments. Je l'imaginai seule dans le noir, en train de fredonner des chansons tchécoslovaques.

Puis je repensai à Lilli, aux petits beignets de chez Alba. À la différence de Marlowe, nous ne prendrions pas de vaines résolutions, mais les *arancine* n'ont jamais fait de mal à personne.

Je m'endormis avec l'image de Bogart mordant dans un beignet dont l'huile coulait sur le revers de son imperméable.

Une main délicate sur mon front me réveilla en douceur. En ouvrant les yeux, je vis deux iris verts tout près de moi. Serena s'écarta, ce qui me permit de faire la mise au point et d'avoir une vision d'ensemble. Elle s'était penchée pour me caresser le front, peut-être pour m'embrasser.

— Salut, Serena.

— Alors, le journaliste, c'est comme ça qu'on bosse ?

— J'étais crevé. Tu sais à quelle heure je me lève le matin ?

Son sourire illumina la pièce. J'avais déjà remarqué ce détail, mais sans jamais m'y attarder : elle avait des dents parfaites, d'une blancheur éclatante.

— À part chercher des scoops, tu fais quoi cet après-midi ?

— Je retourne au journal, ensuite j'ai un type à voir.

J'imaginai Gaspare Bevilacqua, écrasé de chagrin, se laissant aller à des sanglots libératoires dans mes bras. Des sanglots suivis de confessions : *C'est bon, je vous dis tout.* Mais c'était quoi, ce « tout » ?

— À quelle heure tu pars ? me demanda Serena.

Je regardai la pendule, qui marquait 3 h 15.

— Vers 5 heures.

— Alors tu as le temps, conclut-elle, en me jetant un regard plein d'amour ou d'ironie. J'optai pour l'ironie.

— Le temps pour quoi ?

— J'aimerais te faire écouter un morceau d'un groupe. Tu dois sûrement le connaître, ses membres sont des insulaires, comme Fabrizio et toi.

Je passai en revue toutes mes connaissances en matière de musique sicilienne : rien, pas un seul nom.

— Je donne ma langue au chat.

— C'est U2.

— Ils sont d'où, de Catane ?

Elle éclata de rire.

— D'Irlande. Ça ne te dit rien ?

— Vaguement, je crois qu'ils sont plutôt énervés.

— Je confirme. Je viens d'acheter leur dernier album, il s'appelle *War*.

— C'est bien ?

— Tu jugeras par toi-même.

Elle tira le vinyle de son sac en tissu indien aussi grand qu'une tente, et me le tendit.

Un enfant photographié en noir et blanc dardait sur moi un regard furieux. Je retournai la pochette, cherchant la liste des morceaux.

— Je te conseille de l'écouter en entier en lisant les paroles.

— Je ferai ça ce soir, quand les autres seront là.

— Quels autres ?

— Lilli viendra avec les *arancine* de chez Alba.

Serena reçut l'information avec un regard aussi inexpressif que la voix mécanique de l'opérateur téléphonique : *le numéro que vous avez composé n'est pas attribué.*

— Bien, finit-elle par dire.

Je ne comprenais pas d'où venait cette noirceur. Pourquoi était-elle si hostile à l'égard de la fille que j'aimais ?

— On mangera, et après musique! dis-je, passant sur sa réaction abrupte.

— D'accord, mais il y a un morceau que je veux te faire écouter tout de suite.

Elle tailla le film de cellophane en passant l'ongle de son majeur sur la tranche de la pochette.

— Il s'intitule « Sunday Bloody Sunday », ça te plaira, toi qui es spécialiste en hémoglobine.

Elle plaça le disque sur la platine, prit la pochette avec les textes et s'assit à côté de moi. Nous lûmes les paroles en silence pendant que Bono chantait le massacre.

— Il parle même de Jésus, fis-je à la fin de la chanson, quand la tête de lecture passa sur « Seconds ».

— C'est des Irlandais, ils sont catholiques. Cela dit, il paraît que le père de Bono est catholique et sa mère protestante. Tu imagines le bordel.

— Peut-être qu'ils sont très tolérants et que son père aime la paix.

J'ai toujours été un militant du parti des gentils. À l'époque, c'était limite pénible. Serena me regarda comme si je venais de lui avouer que j'étais cannibale.

— Comment tu fais pour toujours penser du bien de tout le monde?

— Ça me vient naturellement. Je déteste les gens qui critiquent tout et voient le mal partout.

Je devais avoir l'air aussi benêt qu'un boy-scout pour qu'elle me sourie avec autant de condescendance. Mais cette fois je lui avais tendu la perche. Je repensai à la douche que nous avions prise ensemble, sans qu'il se passe rien. Ça s'était passé l'été précédent, dans la maison de vacances de mes parents. Les copains prenaient le soleil, les uns sur la terrasse, les autres sur les rochers. Fabrizio, lui, était resté en ville. Après avoir batifolé dans l'eau pendant deux heures, j'étais rentré pour me débarrasser du sel. Serena avait déboulé nue dans la salle de bains et m'avait rejoint sous la douche glacée. Dans l'espace on ne peut plus étroit de la cabine de douche, nos corps étaient entrés en contact. Vu que Serena était collée contre moi, je n'avais rien pu cacher. Tandis que je fermais les yeux, une énorme enseigne lumineuse était apparue dans mon esprit, composée de trois lettres : N, O et N. Il ne fallait pas. Serena était un tabou avant d'être une femme. Prise de pitié, elle était sortie de la douche. Et, par cet après-midi printanier de l'année 1984, peut-être avait-elle encore pitié de moi et me considérait-elle comme le rejeton d'un enfant de chœur et d'un transsexuel.

Elle se leva et me dit :

— Bon travail, le journaliste. Si ce soir tu n'as pas découvert la vérité je te tuerai à coups d'*arancine.*

Nous sortîmes indemnes du dîner. Gabriele servit d'amortisseur, parlant d'abord avec l'une, puis avec l'autre. Il nous lut deux de ses poésies sur le vague à l'âme : elles me semblèrent justement trop vagues pour prétendre au succès. Les filles s'ignoraient ou presque. Après avoir mangé les *cannoli* que j'avais achetés chez Caflisch, nous nous installâmes sur le canapé. Lilli bavardait avec Fabrizio et Serena continuait à me taquiner sur mon boulot. Gabriele était allé chercher un joint dans sa chambre.

— Tu es toujours sur l'histoire de cette danseuse russe assassinée ? me demanda Serena.

— Veruschka n'était ni danseuse ni russe.

— C'était quoi, alors ?

— Une entraîneuse tchécoslovaque.

— Je vois.

Elle fit une grimace.

— Tu as découvert des choses ?

— Rien de fracassant.

— Félicitations…

— Si, j'ai quand même découvert un truc.

— Le suspense est insoutenable ! C'est quoi ?

— Qu'elle savait aimer, dis-je d'un air chargé de sous-entendus.

— Comme tout le monde, déclara Serena d'un ton sec en détournant les yeux.

Son regard était braqué sur Lilli, qui avait découvert ses cuisses en relevant ses jambes.

— Comme tout le monde, c'est vrai. Sauf qu'avec elle l'amour était payant.

— Et alors ?

— En principe on n'est pas amoureux de l'acheteur.

— Syndrome de Stockholm, dit-elle en se tournant à nouveau vers moi.

— Je vois pas le rapport.

Elle tira un carnet à spirale de son sac et lut à voix haute :

— « Condition psychologique dans laquelle une personne victime de séquestration peut manifester des sentiments positifs. » Ça vient d'un livre que je lis en ce moment, j'ai noté cette phrase parce que j'étais sûre qu'elle me servirait.

— Je ne vois toujours pas le rapport avec Veruschka.

— Tout amour est une séquestration. On prend en otage le cœur, la liberté et le temps de l'autre.

— Tu as une vision catastrophique des relations.

— Pas assez à mon goût, rétorqua-t-elle en souriant.

Fabrizio et Lilli nous écoutaient. Gabriele, allongé par terre, en était à la moitié de son joint. Il le fumait seul, comme s'il était sur un ponton à regarder les étoiles. Puis il revint brusquement parmi nous :

— Vous voulez faire quoi ? Interdire les amours ?

— Mais non ! Je dis seulement que dans un couple y en a toujours un qui finit par empêcher l'autre de faire ce qu'il veut, en tout cas de le faire au moment où il en a envie, répondit Serena en haussant le ton.

Elle commençait à s'énerver.

Elle se leva, s'allongea sur Fabrizio et l'embrassa comme si c'était la première fois. Lilli s'écarta en me lançant un regard qui était un appel à l'aide. Je lui tendis la main, elle s'arracha du canapé et m'enlaça. Cicova releva sa tête fauve et nous regarda. Les chats aiment les amours entre humains, l'herbe un peu moins : il cligna des yeux quand les volutes de fumée arrivèrent jusqu'à lui.

— Alors, la liste ?

Le rédacteur en chef me lança un regard qui me réduisit en cendres. Je jetai un œil à la pendule : 7 h 40. Je n'avais toujours pas accompli la mission dont on m'avait chargé plusieurs jours avant, et je savais qu'il était quasi impossible de l'honorer. Qui pouvait bien avoir la liste des clients de Veruschka ? J'en connaissais deux, c'était déjà beaucoup, mais ces histoires sentimentales pleines de candeur et de frustrations ne constituaient pas matière à un article.

— J'y travaille. Et je m'occupe aussi de Bevilacqua, l'*incaprettato*.

— Je sais. Je t'ai mis sur cette affaire justement parce que j'ai l'impression que tu brasses du vide sur Veruschka, dit Reina en regardant ailleurs.

Le concept de vide m'était familier. Je le sentais en moi et, ce jour-là en particulier, autour de moi aussi. Dans mon esprit, c'était comme si la ville avait été évacuée et n'était plus qu'un théâtre vide où se jouait une œuvre inspirée d'un romantisme finissant : la mort déchirante d'une jeune fille et d'un jeune homme.

— Je brasse un peu d'air, c'est vrai, mais pas du vide, je t'assure.

Reina plissa ses yeux, qui devinrent deux lames :

— Je veux des articles, pas des mots rassurants.

— Bien sûr, dis-je.

— Et donc ?

— Donc je t'apporterai probablement du nouveau cet après-midi, pour l'édition d'après-demain. J'ai prévu de revoir Bevilacqua, le frère de l'*incaprettato*.

— Moi je te parlais de Veruschka.

— C'est une affaire importante, c'est vrai. Mais celle du

type qui passe d'un pressing de la via Sciuti à un coffre à Brancaccio n'est pas mal non plus.

— Un histoire classique de mafia, rétorqua le rédacteur en chef.

Et son regard acéré coupa net notre conversation.

Il était temps que je me secoue et, surtout, que je rapporte de la matière au journal. Je décidai de tenter ma chance avec Gualtieri. À 8 heures j'étais sûr de le trouver à son bureau.

Le chef de la police judiciaire était en train de dévorer la rubrique sportive du *Giornale di Sicilia.*

— C'est beaucoup mieux que *Tuttosport*, me dit-il en m'invitant à entrer.

Apparemment, il était de bonne humeur. Il me montra un gros titre: *La vieille dame pourrait nous surprendre!* La Juventus de Turin s'apprêtait à affronter Manchester United pour la demi-finale de la Coupe des Coupes, et Gualtieri, en supporter invétéré de la Juve, était en effervescence:

— Ça me fait plaisir que les journaux d'ici soient aussi pointus sur mon équipe.

— La Juve a toujours été la deuxième équipe des Palermitains, même si ce vieux jumelage reste un mystère.

Il me regarda comme si j'étais un insecte d'une espèce inconnue.

— Dans le foot, tout s'explique, même…

Pour lui faire plaisir je terminai sa phrase sur le même ton:

— Même les excès, les passions violentes, les fautes… et les jumelages.

Nous sourîmes en chœur, heureux de nous retrouver sur un terrain commun. L'insecte bizarre s'était envolé, face à Gualtieri se tenait un jeune journaliste pour lequel il éprouvait une sympathie inexplicable.

— Qu'est-ce qui t'amène?

— Mon chef veut du nouveau. N'importe quoi. Rien de neuf sur Veruschka?

— J'ai pas l'impression.
— Vous avez la liste, pas vrai ?
— Tu veux un café ?
— Ma question concernait plutôt la liste.
— Serré ou allongé ?
— Veruschka…
— D'accord, je te commande un serré comme le mien. Raimondi !

Un jeune agent en uniforme apparut sur le pas de la porte.

— Deux cafés comme je les aime. Oui, lui et moi on a les mêmes goûts.

Il me soumettait à la douche écossaise. Je souris car c'était déjà bien qu'il ne m'envoie pas balader.

Après quelques minutes de bavardage sur l'entraîneur Trapattoni, les cafés arrivèrent, servis dans des tasses en porcelaine épaisse où figurait le nom d'une ancienne brûlerie palermitaine.

Je désignai l'inscription et lui demandai en souriant :

— Appropriation illicite ?

Gualtieri rit pendant quatre, voire cinq secondes.

— Aujourd'hui je me sens généreux, pose-moi une question et je te répondrai.
— C'est déjà fait : avez-vous la liste des clients de Veruschka ?
— Poses-en une autre.

Comme je m'apprêtais à aller revoir le frère de l'*incaprettato*, je demandai :

— Et le blanchisseur ? Vous trouvez ça normal qu'un type bien sapé, qui porte un costard avec pochette, finisse dans un coffre comme un vulgaire malfrat ?
— Une pochette ?
— Je l'ai vue, elle sortait de son veston.
— Ce n'était pas une pochette, dit Gualtieri en faisant tourner entre ses doigts un Bic quatre couleurs.
— C'était quoi ?
— Un bout de papier.

— Il faisait des pochettes avec du papier ?
— Je te répète que ce n'était pas une pochette.
— Alors qu'est-ce que c'était ?
— Peut-être un message.
— Peut-être ?
— Oui, c'était un message. Tu as de la chance que ce soit mon jour de bonté.
— Il contenait quoi ? demandai-je, pensant à d'obscurs codes mafieux.
— Un seul mot.
— Un seul mot ?
— T'en as pas marre de répéter tout ce que je dis ?
— Monsieur Gualtieri, s'il vous plaît, c'était quoi ?
Il posa les yeux sur le dossier, ouvrit une chemise puis me regarda :
— *Déchet*. Un bout de papier blanc où on avait écrit à la va-vite le mot *déchet* en capitales. Ils l'ont fait dépasser de la poche du veston pour qu'on le voie.
J'étais tellement sidéré que j'avais envie de l'embrasser, lui, Trapattoni, Boniek et tous les fans de la Juventus du monde. Mon rédacteur en chef allait l'avoir, son titre, même si son sens restait énigmatique : pourquoi *déchet* ?

DEVANT LE COMMISSARIAT, je retrouvai Filippo avec ses appareils photo, qui bavardait avec l'agent de service en m'attendant.

— J'ai su par le journal que tu étais passé à la PJ et que tu comptais aller voir le frère du mort. Emmène-moi, je pourrais prendre des photos du quartier où les deux frères avaient leurs habitudes.

— Bien vu, allez monte ! fis-je en déverrouillant la Vespa.

En roulant vers la via Giusti, je lui racontai ce que Gualtieri m'avait révélé. Filippo me donna une grande tape sur l'épaule, qui manqua de me faire perdre le contrôle du scooter.

— La vache, t'es un as !

Je précisai que le mérite revenait à la générosité du chef de la PJ. Puis je me tus pour me plonger dans des considérations composées essentiellement de souvenirs. *Tu n'es qu'un déchet. Tu te comportes comme un déchet. Quel déchet, ce type.* Combien de fois avais-je entendu ce mot, à l'école, sur les terrains de foot, dans les soirées entre copains ? Le déchet, c'est ce dont on n'a plus besoin, ce dont on se débarrasse. Mais, à Palerme, *déchet* est une insulte violente adressée à celui qui a trahi quelque chose ou quelqu'un, a déçu des attentes, n'a pas tenu parole, a commis un abus injustifiable. Les assassins de l'homme retrouvé dans le coffre devaient considérer qu'il s'était rendu coupable de ce genre de faute.

— À ton avis, Filippo, pourquoi on l'a traité de déchet ?

— Quoi ?

— Pardon, j'étais dans mes pensées. Pourquoi la mafia haïssait autant l'*incaprettato* ?

— Si on l'a traité de déchet, c'est qu'il devait être dans le collimateur d'un boss ou alors qu'il a fait un sale coup, ou qu'il a été trop bavard, supposa le photographe.

— Donc, si tout le monde considère que c'est un déchet, personne ne s'étonne qu'il finisse assassiné. C'est bien ça ?

— Exact.

— Et, même, certains pourraient penser que justice a été faite.

La Fiat 128 couleur vomi de l'exorciste qui était devant nous freina brusquement. Je pilai, la Vespa s'arrêta de justesse. Cinq centimètres de plus et c'était l'accident. Filippo cria quelque chose qui appartenait à une tradition orale immémoriale.

Le sexagénaire au volant de la 128 ne portait pas le bonnet d'âne qu'il aurait dû coiffer, étant donné son comportement sur la route. Il se borna à nous dire :

— Veuillez m'excuser.

Je levai les yeux au ciel et redémarrai.

Filippo m'avoua qu'il s'était fait davantage de souci pour ses appareils photo que pour lui.

— Un type qui freine comme ça est un déchet, ajouta-t-il.

— C'est un peu exagéré, à moins qu'il vienne de licencier sans raison valable dix de ses employés…

Filippo en convint. Moi je songeais que, du point de vue de beaucoup de Palermitains, le *déchet* ne pouvait plus prétendre aux droits communs. Bien sûr, cela dépendait de qui jugeait. Pour les mafieux, la plupart des policiers et des carabiniers, et a fortiori les juges, étaient des *déchets*, c'est-à-dire qu'ils faisaient bien leur travail. Pour la petite bourgeoisie de la ville, les *déchets* étaient ceux qui rançonnaient les commerçants, car le racketteur, l'homme chargé de prélever le *pizzo*, avait toujours été perçu comme le dernier maillon de la chaîne alimentaire mafieuse, une ordure qui ôtait le pain de la bouche aux enfants d'un droguiste ou d'un bonnetier.

Quel rôle avait joué l'homme retrouvé dans le coffre de la Fiat 131 à Brancaccio ?

Je me remémorai ma conversation avec Gaspare Bevilacqua au cimetière, et cette assertion en particulier : *mon frère était un garçon sérieux*. Il avait probablement raison, les morts sont toujours des gens sérieux. Des gamins qui jouent au foot sur un terrain qui finit par devenir une déchetterie. La réaction vive de Gaspare à propos des amours de son frère ne laissait pas de doutes : il devait y avoir une fille dans l'histoire. Avant de mourir, Stefano était amoureux, mais de qui ? D'une fille qui l'ignorait, lui donnait l'impression d'être un minable, ou qui l'impressionnait ? S'agissait-il d'une jeune femme déjà prise ? Pourquoi ce papier dans la poche de son veston ? Quel message la mafia voulait-elle faire passer ? Dans les grandes lignes, c'était clair : pour Cosa Nostra, cet homme était un traître, un indic, en tout cas il avait commis un acte que les mafieux considéraient comme impardonnable. Mais quoi ?

Je me souvins alors d'une histoire qu'un ami magistrat de mon père nous avait racontée un soir qu'il était venu à la maison. Au début de sa carrière, dans les années 1950, on l'avait nommé substitut du procureur à Trapani. À l'époque, les meurtres étaient rares, mais la mafia de Trapani était déjà une puissante alliée de la mafia palermitaine, et toutes deux avaient le projet commun de s'accaparer la Sicile. Un jour qu'il rentrait chez lui pour déjeuner, la police l'avait appelé en urgence à cause d'un hold-up meurtrier dans une bijouterie. Le scénario avait été facile à reconstituer : un bandit était entré dans la boutique l'arme à la main, le bijoutier avait essayé de donner l'alarme et le malfrat avait immédiatement tiré, d'abord sur le commerçant puis, quelques secondes après, sur son fils de dix ans qui derrière le comptoir avait assisté en tremblant à la mort de son père. Un enfant tué de sang-froid, un assassin évanoui dans la nature.

Les recherches avaient duré sept jours, en vain. L'homme restait introuvable malgré la mobilisation de toutes les forces de police du département. Le huitième jour, miracle : son cadavre est retrouvé dans le coffre d'une Fiat 1100 garée devant la bijouterie, orné de deux chaînes en or que la veuve du bijoutier reconnaît. Justice avait été rendue, justice à la sicilienne, justice mafieuse, certes, mais l'assassin avait été attrapé et puni selon les règles d'un code ancestral.

Plus tard viendrait le temps de la cruauté pour la cruauté, du massacre des innocents, comme Giuseppe Di Matteo, quatorze ans, assassiné et plongé dans l'acide parce qu'il était le fils d'un mafieux repenti. Mais, dans les années 1950, Cosa Nostra appliquait encore un code d'honneur : interdiction de toucher aux femmes et aux *picciriddi* ; aux enfants.

Les enfants.

Les femmes.

Veruschka n'était pas un enfant.

J'eus une illumination. Peut-être qu'à Palerme se trouvait encore un vieux parrain qui ne supportait pas qu'une femme puisse être massacrée et défigurée à l'acide, un vieux parrain qui respectait encore le travail des femmes publiques selon la tradition criminelle consistant à leur garantir le droit d'exploiter leur corps. Ou bien s'agissait-il simplement d'un parrain souhaitant rétablir le principe fondateur de la domination mafieuse : la justice, c'est nous qui la rendons.

Quelle était la bonne hypothèse ? Je l'ignorais encore, mais j'avais de bonnes raisons de croire que l'assassin de Veruschka avait désormais un nom et une profession : Stefano Bevilacqua, blanchisseur. Coupable d'un crime impardonnable, et condamné immédiatement à mort par la mafia. Peine purgée dans un coffre à Brancaccio.

— Monsieur Bevilacqua, vous pourriez m'ouvrir ? demandai-je dans l'interphone après avoir décliné mon identité. Il se souvenait de moi et de notre conversation au cimetière.

— Je finis de m'habiller.

Je consultai ma montre : 8 h 50. Il était tôt. Gaspare Bevilacqua avait raison. On ne rentre pas chez les gens avant que les brosses à dents aient fini leur travail. Mais nous étions de jeunes gens insomniaques, à 7 h 30 du matin nous avions déjà bu deux cafés et nous débattions avec la maquette, les titres, les articles à rédiger.

Je m'excusai.

— Qu'est-ce que je fais ? Je vous attends en bas ?

— Je préfère. Quand je serai prêt, vous m'accompagnerez au magasin, si vous voulez.

Le frère de l'*incaprettato*, le frère de l'homme-déchet, descendit une dizaine de minutes après. Il portait un pantalon de gabardine beige au pli irréprochable, un blouson de coton bleu sur une chemise blanche parfaitement immaculée : un vrai professionnel du secteur.

Il me salua, le visage fermé : ma présence lui était douloureuse.

— Bonjour. Qu'est-ce que vous voulez ?

— Rien de spécial : un détail, un souvenir..., répondis-je, minimisant la portée de notre entrevue.

Nous nous acheminâmes vers la via Sciuti. Gaspare Bevilacqua gardait les mains enfoncées dans ses poches et les yeux fixés sur un point indéterminé au-delà du carrefour, ou peut-être au-delà de tout détail ou de tout souvenir.

— Voulez-vous un café ? proposa-t-il.

J'acceptai en souriant.

Le bar était à l'angle avec la via Lo Jacono. Au moment où j'allai à la caisse pour payer, Bevilacqua adressa un regard à la femme assise derrière le comptoir.

— Déjà réglé, me dit-elle sans enthousiasme.

Nous bûmes nos deux expressos en silence. Le bar était éclairé par le soleil qui, en tapant sur le comptoir en acier, envoyait ses reflets dans toute la pièce. Un rayon s'était posé sur le visage de Bevilacqua. Je remarquai les rides d'expression autour de sa bouche. Il devait avoir une quarantaine d'années. C'était un travailleur, un homme que la vie avait rendu triste. Il ne quittait pas la patronne des yeux, sans doute par crainte que je lui pose une question dès que nos regards se croiseraient.

Je n'en fis rien et attendis, même si je brûlais de comprendre ce qui avait valu cette punition atroce à son frère.

Nous sortîmes et reprîmes notre marche. Nous étions à trois cents mètres environ de son pressing, dont nous séparaient un bref tronçon de la via Giusti et trois pâtés de maisons sur la via Sciuti. Les trottoirs étaient disjoints, en partie en raison du manque d'entretien, en partie à cause des racines des ficus bordant le grillage d'un lotissement couleur saumon construit au début des années 1960 par une coopérative de traminots et qui, vingt après, avait été absorbé dans le tissu du Palerme bourgeois.

J'avais donc trois cents mètres pour lui soutirer quelque chose, un nom, une description. Mais je ne savais pas comment m'y prendre pour abattre le mur de silence derrière lequel il se réfugiait. Soudain, j'eus une idée.

— J'ai besoin d'un conseil.

— C'est-à-dire ?

— Je suis dans une situation un peu délicate.

— Comment je peux vous aider ?

— Je ne sais pas... Peut-être que si vous écoutez mon histoire...

— Si je peux vous être utile..., dit-il avec toute la gentillesse imprévisible dont les Palermitains savent faire preuve.

— Ma copine m'a quitté.

Bevilacqua ralentit le pas, me regarda, puis reprit son rythme.

Deux cent cinquante mètres.

— Si elle vous a quitté, je ne vois pas quel conseil je pourrais vous donner. Les femmes font ce qui leur chante.

— Je sais mais, comme vous êtes plus âgé que moi, vous saurez peut-être me dire s'il vaut mieux que j'insiste ou pas.

— Ce n'est jamais une bonne idée.

Il n'avait pas soupçonné mon petit jeu. Son attitude me montrait que j'avais affaire à quelqu'un de généreux et d'un peu naïf.

— Qu'est-ce qui n'est pas une bonne idée ?

— Insister avec une femme, lui casser les pieds.

Il avait raison : quand l'amour anesthésie notre intelligence, on devient insupportable. Les gens les plus brillants et les plus séduisants ne sont pas épargnés.

— Alors je dois arrêter de l'appeler ?

— Oui. Je vous le conseille. C'est aussi ce que j'avais conseillé à Stefano…

Deux cents mètres. Il avait abordé le sujet le premier.

— Il vous a écouté ?

— Non. Il a continué à faire pareil, comme si je n'avais rien dit.

— Il lui a cassé les pieds.

— Je pense, oui.

— Stefano était amoureux ?

— Évidemment ! Vous, vous n'êtes pas amoureux de la fille qui vous a quitté ?

Il regarda à nouveau droit devant lui. Une charrette de poisson passait, tirée par un cheval. Une scène du XVIIe siècle en plein milieu des années 1980. Le cheval et Gaspare Bevilacqua échangèrent un regard triste.

— Oui, je l'aime toujours, même si elle est partie. Votre frère, qu'est-ce qu'il a fait pour reconquérir sa copine ?

— Je préférerais parler d'autre chose.

— Il a été trop démonstratif ? Il lui a envoyé des bouquets de fleurs ? Des cadeaux ?

Cent mètres.

— Je l'ignore. De toute façon, elle était habituée aux cadeaux, je ne crois pas que les plantes ou les habits que Stefano lui offrait lui faisaient grande impression.

J'imaginai ce garçon bien habillé se rendre dans les boutiques de la via Sciuti pour acheter un présent tandis que son grand frère continuait de travailler au pressing. Passerais-je moi aussi du temps à penser à ce que j'offrirais aux femmes ? Trop ou trop peu, sans doute. Je n'ai jamais connu la demi-mesure.

— Comment savez-vous qu'elle était habituée aux cadeaux ?

Cinquante mètres.

— Je le sais, c'est tout. Stefano me l'avait dit.

— Monsieur Bevilacqua, il vous a sûrement dit aussi qui était cette fille, non ?

Il s'arrêta. Il était confronté à un dilemme : me mentir ou me dire la vérité. Il n'avait aucun intérêt à se taire, ni à parler : son frère était mort et enterré. L'enjeu était seulement d'en protéger le souvenir, et peut-être, avec lui, la dignité d'une fille dont Stefano était tombé fou amoureux.

Il leva le rideau de fer.

— Entrez, me dit-il.

Appartement de Veruschka, 23 heures

Le garçon qui voulait devenir avocat salua Vera sur le palier en la prenant par la taille. Elle se déroba, mais l'invita à entrer.

Sur le canapé, le gentil garçon regardait fixement devant lui, son cœur avait retrouvé un rythme normal. Il aurait préféré que la soirée se passe différemment. Le lecteur diffusait du jazz, comme d'habitude.

Le futur avocat portait la même tenue sportive et élégante, signe qu'il n'était pas repassé par chez lui.

— Qui c'est ? demanda-t-il à Veruschka.

Le gentil garçon marmonna son prénom. L'autre ne se présenta pas et ne lui serra pas la main non plus.

Veruschka était rassurée. *Nous sommes trois.*

Le gentil garçon se leva brusquement :

— Je m'en vais.

Il gagna l'entrée à pas rapides. Il aurait voulu dire au revoir à Vera, mais il se contenta de lui adresser un dernier regard puis sortit en claquant la porte derrière lui.

L'autre caressait Veruschka des yeux. Ils étaient enfin seuls.

— Je suis content qu'il se soit barré, lança-t-il.

— C'est un chouette garçon, tu sais.

— Moi aussi je suis un chouette garçon.

Il l'attira à lui.

Vera se raidit, et jeta un coup d'œil à la pendule : elle devait se préparer pour aller au Lady Jim. Choisir sa robe. Ses chaussures. Se maquiller. Se parfumer. Un rituel qui, bien accompli, lui rapportait deux cent mille lires chaque soir. Plus de quatre millions par mois. Elle avait déjà trente millions de côté. Et le vieux lui proposait la somme qu'elle voulait. Combien ? Cent millions ? Deux cents millions ? Si elle acceptait, est-ce qu'il l'aiderait à entrer dans le monde de la télévision ?

Le garçon la tira de nouveau par le poignet. Il voulait la sentir contre lui. Elle se demanda pourquoi elle l'avait laissé monter.

— Qu'est-ce que tu veux ?

— Je te veux, toi.

Elle se dit qu'il y avait quelque chose de bizarre dans l'air, ou dans ce printemps... Quelque chose qui ne tournait pas rond.

— Il faut que j'aille au travail, susurra-t-elle, jouant à la chatte en quête de caresses, ou plutôt de compréhension et de tranquillité.

— Je m'en fous. Je te veux maintenant.

Veruschka conclut que cette nuit qui ne tournait pas rond allait être rude.

GASPARE BEVILACQUA alluma la lumière et m'indiqua une chaise.

— Asseyez-vous, je vais ouvrir le magasin.

Il appelait le pressing *magasin*. Après tout, il vendait de la propreté.

Je déboutonnai mon blouson et m'assis tandis qu'il sortait le carnet de reçus d'un tiroir. Puis à l'aide d'une canne à l'extrémité fourchue, il poussa vers la droite les vêtements propres accrochés à un tube métallique à deux mètres du sol.

— Stefano était très amoureux. Trop amoureux, comme je le lui avais dit.

— Comment ça s'est terminé, avec cette fille ?

— Je ne sais pas. Je sais seulement comment ça s'est terminé avec Stefano, répondit-il en baissant la tête.

Une boîte en carton contenant une dizaine de flacons reposait à côté du comptoir. Il en prit un.

— Vous connaissez l'effet de la poudre antimite sur les œufs de ces petits papillons ?

— J'imagine qu'elle les tue.

— Oui, mais comment ?

— Je ne sais pas.

— Je vais vous le dire : cette poudre contient un élément qui mange l'oxygène. Les œufs meurent asphyxiés.

Passionnant, me dis-je.

Il continua :

— L'amour a produit le même effet sur Stefano : il lui a coupé l'oxygène, il a bloqué son cerveau, et mon frère est mort.

— Quand même..., hasardai-je, pensant au coffre de la voiture en train de s'ouvrir sur lui, *incaprettato*, à son costume tout juste sorti du pressing et à ce mot : *déchet* ; la cause de son asphyxie n'était pas vraiment chimique...

— Oui, je sais ce que vous pensez. Dans les faits, ça a été pire que cette poudre.

— Vous saviez que ça finirait comme ça ? Vous aviez compris quelque chose ?

— On était toujours ensemble, à part quand il jouait au foot. Vous savez, à mon âge, c'est plus mon truc. Je ne peux pas dire que je savais que ça finirait précisément comme ça, mais je sentais que la tragédie rôdait.

— À quoi vous le sentiez ? Stefano vous avait dit quelque chose de particulier ?

— Les jours qui ont précédé son meurtre, mon frère était très anxieux. Il se trompait dans les gestes les plus simples, au magasin il remettait dans la machine à laver des vêtements déjà propres, qu'il fallait juste repasser. J'ai dû le rappeler à l'ordre plusieurs fois. Jusqu'au jour où je lui ai demandé ce qui lui arrivait. Il s'est assis là, sur la chaise où vous êtes. Il a commencé à balbutier quelques mots, puis son menton et ses lèvres se sont mis à trembler comme s'il y avait un séisme sur son visage et il a éclaté en sanglots. Il pleurait comme un gosse, comme quand je lui tapais dessus quand on était gamins parce qu'il prenait mon vélo sans mon autorisation. Je lui ai demandé pourquoi il sanglotait. Puis je lui ai apporté un verre d'eau et j'ai posé une main sur son épaule. Il a levé les yeux et il m'a dit…

Gaspare s'interrompit, poussa un profond soupir, et regarda à nouveau la boîte avec les produits pour les machines à laver.

— Continuez, je vous prie.

— … il m'a dit qu'il avait fait quelque chose de terrible. Qu'il y pensait tout le temps. Je lui ai demandé de me raconter, et il est resté silencieux à regarder dans le vide comme s'il repensait à la scène, puis il a recommencé à pleurer. Il sanglotait en se cramponnant à ma main, mouillée par ses larmes. Je me suis penché, je l'ai pris dans mes bras et je lui ai dit que tout allait s'arranger. Que, s'il m'expliquait, je pourrais l'aider. Stefano m'a répondu qu'il n'y avait plus rien à faire, à part trouver un châtiment. Je n'ai pas insisté, sur le moment j'ai cru que le plus important était de le soutenir et le consoler. Je ne supportais pas de voir mon frère pleurer comme ça, ce n'était plus un gosse qui me piquait mon vélo. On était des hommes, et les hommes, les vrais, savent arranger les situations.

— Dans ce cas, la situation ne s'est pas arrangée.

— Non.

— Vous n'avez pas essayé de savoir ce qu'il avait fait ?

— Si, bien sûr.

— Et alors ?

— Il m'a dit que c'était en rapport avec une fille, et que tant que les choses ne se seraient pas arrangées…

— Quelles choses ?

— Il ne pouvait pas m'en dire plus.

— Mais les choses ne se sont pas arrangées quand même.

— C'est le moins qu'on puisse dire.

— Stefano ne vous a rien dit d'autre ?

— Non, mais un élément m'est revenu à l'esprit : le lendemain de la fois où il s'est mis à pleurer, on était chez lui et il était toujours aussi bouleversé. À un moment, il m'a demandé de le rejoindre à la cuisine et m'a donné une petite boîte. Il m'a prié de la garder, et il a dit qu'il la récupérerait peut-être un jour… Je l'ai rangée, puis je l'ai complètement oubliée. Quand je reviendrai chez moi, je regarderai ce qu'il y a à l'intérieur.

— Vous rentrez chez vous pour le déjeuner ?

— Oui, je mange avec mes parents.

— Je pourrai vous appeler ?

— Bien sûr.

— À 15 heures ?

— Plutôt 15 h 30. Je voudrais essayer de me reposer un peu.

Il m'accompagna à la porte. Je lui serrai la main.

Il me fixa pendant quelques secondes sans lâcher ma main.

— Vous savez ? Depuis que Stefano est mort, je n'ai pas arrêté de penser à cette *chose terrible* qu'il avait faite, et qui est peut-être à l'origine de sa mort. J'ai passé mes nuits à essayer de comprendre. Je me souviens que, la dernière fois que j'ai parlé avec lui, il m'a dit que je devais lire les journaux parce que bientôt un assassin serait arrêté.

Il lâcha ma main et regarda au loin, de l'autre côté de la rue : les premiers triporteurs chargés de fruits et de légumes passaient ; la Banca Commerciale avait ouvert ses guichets depuis peu ; Palerme se ranimait sous un soleil malade.

De retour au journal, je racontai mon entretien avec Gaspare Bevilacqua au rédacteur en chef. Je rédigeai un article nébuleux qui ne fit pas la une : j'avais fait attention à ne pas proposer des pistes que je ne pourrais étayer ni avec des preuves ni avec les déclarations de la police. Le titre disait seulement : *Un secret dans la vie (et dans la mort) du blanchisseur.* Cependant, mon hypothèse prenait corps. Stefano Bevilacqua avait été puni par la mafia pour la mort de Veruschka. J'en étais presque certain.

Serena m'accueillit avec un sourire qui, ce jour-là, me parut une caresse.

— Salut, le journaliste.

— Salut, Serena. T'es seule ?

— Seule et abandonnée, répondit-elle en cornant la page du livre qu'elle avait en main avant de le poser.

— Tu lis quoi ?

— *Congo*. C'est d'un écrivain américain qui mélange science et aventure.

— Le troisième.

— Quoi ?

— Tu lis plusieurs livres à la fois.

— Un seul, ça me suffit pas, je fais ça depuis que je suis petite. Mais, celui-là, je n'arrive pas à le lâcher.

— Tu viens pourtant de le faire, dis-je en montrant le roman posé sur la table basse devant le canapé.

— Parce que tu es arrivé, dit-elle d'un ton chantant en battant exagérément des cils. Moi-Amy-gentil-gorille, continua-t-elle, sans doute inspirée par sa lecture, avec une voix de dessin animé, puis elle inclina la tête avec un regard extasié.

— Arrête.

Le sourire aux lèvres, j'enlevai mon blouson et mon pull.

— Pourquoi ? Je te mets mal à l'aise ?

— Non, c'est que…

Elle s'approcha et m'enlaça. Elle pressa doucement sa poitrine contre mon buste et je sentis la caresse de ses seins sans soutien-gorge. Je m'aperçus bien des années plus tard combien j'avais été gâté par les accolades de mes amies pendant ces années-là.

Elle me frotta le dos. Ma chemise fit office de barrière. La franchir, c'était trahir mon meilleur ami.

J'essayai de reculer de quelques centimètres. Elle m'attira à elle.

— J'ai envie de journalisme, miaula-t-elle, vraisemblablement pour se ficher de moi.

Mon cœur battait un peu trop vite pour que je puisse en rire.

Elle planta ses yeux verts dans les miens.

— Je déteste le noir de ton iris. Et je déteste ta pupille qu'on ne distingue pas de ton iris. Pourquoi vous avez les yeux si sombres, les Siciliens ?

— Parce que notre âme est ténébreuse, marmonnai-je en espérant me donner une contenance.

Ses lèvres se posèrent lentement sur les miennes, et je me liquéfiai. Je connaissais ses lèvres pour les avoir vues prononcer des mots, s'étirer en des sourires lumineux. J'en avais goûté la douceur quelques jours auparavant.

Je m'abandonnai à leur pleine connaissance. En dix secondes, je découvris que Serena était accueillante, détendue, tiède, et la chaleur de nos langues me submergea comme une vague. La tête me tournait. Ou, peut-être, je crus qu'elle tournait. Cette sensation devait être classique après un baiser de Serena.

Elle desserra son étreinte.

Je cessai de lui tenir les fesses comme si elles menaçaient de s'enfuir.

Elle plongea de nouveau ses yeux dans les miens :

— Mettons-nous là.

J'acquiesçai et plongeai sur le canapé, où Cicova dormait en boule sans avoir conscience du drame sentimental qui se jouait devant lui.

— Je voulais dire là-bas, précisa-t-elle en me tendant la main.

Je savais que Fabrizio rentrerait le lendemain. Je la regardai et, pour la deuxième fois de ma vie, je dus prendre en quelques instants une décision liée à l'amitié masculine.

Nous les hommes, on ne fait pas les boutiques ensemble. On ne se raconte pas nos histoires intimes. Mais on partage nos passions et on est solidaires, surtout quand il s'agit de femmes. Rien n'a changé sur ce point depuis nos vingt ans.

J'essayai de lui faire un sourire qui rende mon refus acceptable.

Elle fronça les sourcils puis, me souriant à son tour, elle dit :

— Tu es un imbécile, le journaliste. Si tu ne veux pas que les choses se passent, pourquoi tu t'es laissé embrasser ? Un baiser, c'est le dialogue le plus intime, c'est bien plus fort qu'une partie de jambes en l'air. Mais tu ne l'as pas compris, tu es persuadé que tu n'as rien fait de mal. Vrai ou faux ?

— Faux, Serena, mentis-je. C'est que…

— Laisse tomber.

Elle reprit son livre, enfila un imperméable et, debout devant moi, elle ajouta :

— Je vais faire un tour sur la promenade des Cattive. Viens voir la mer avec moi, si tu veux. Je te promets que je ne te sauterai pas dessus.

— Serena…

— Quoi ?

Elle était furieuse.

— Attends, dis-je, cherchant une justification à ce que j'avais fait.

Elle me regarda comme si j'étais une poubelle pleine sous le soleil estival.

— Tout ce que j'attends, c'est que tu mettes tes chaussures pour m'accompagner sur la promenade. Pour le reste, tu peux toujours courir.

— Tu ne comprends pas. Pour moi, tu es un fruit défendu.

Je joignis mes mains devant ma poitrine en imitant un remerciement hindou.

Elle sourit en me regardant droit dans les yeux. Dans ce sourire, il devait y avoir un long discours féminin sur le courage, la séduction, l'amitié, le sexe, les mensonges, les tromperies. Elle ne dit rien de plus, mais son regard s'adoucit. J'étais sauf : je pouvais continuer d'être à la fois sa proie et son chasseur effaré.

Elle me tourna le dos et, se dirigeant vers l'entrée, elle conclut :

— Je t'aime bien, Sansommeil.

Je lui envoyai un baiser qui n'arriva pas à destination : elle avait déjà tiré la porte derrière elle.

J'inspirai profondément, pris un vinyle au hasard et le posai sur la platine. *Aladdin Sane*, de David Bowie. Quand le disque était sorti, un ami m'avait expliqué que le titre était un super jeu de mots. Vu mon niveau d'anglais, ça m'avait complètement échappé. La traduction signifiait *Aladdin sain d'esprit* mais, à l'oreille, on pouvait comprendre *A Lad Insane* : un garçon fou.

J'imaginai Serena en train de regarder le Foro Italico depuis la promenade. J'étais fou d'elle.

Il était temps de prendre un antidote : j'appelai Lilli. Sa sérénité et sa façon d'être au monde me manquaient.

Je composai le numéro de la librairie.

Elle répondit à la deuxième sonnerie.

— Allô.

— Salut, Lilli.

Elle resta silencieuse, attendant de comprendre les raisons de mon appel.

— Je viens aux nouvelles.

— Ça va, je travaille, au printemps on vend bien à la librairie.

Elle avait un ton amical, détendu, comme si tout était simple.

— Et toi, ça va ?

— Oui, très bien.

Deux mensonges en une phrase.

— On pourrait se voir, non ?

— Bien sûr. Mais pas chez vous. Je sais que Serena n'est toujours pas repartie à Milan.

— Elle est encore là, oui. Si tu veux, je passe te chercher quand tu sors du travail, et on va à Mondello, chez Simpaty.

— Ce soir, je suis prise.

Elle dit *prise* avec simplicité, sans essayer de cacher quoi que ce soit. La phrase ne me fit pas moins l'effet d'un coup de poignard.

Impossible de me retenir :

— Tu dînes avec qui ?

— Avec votre ami Gabriele, il m'a invitée.

Sa voix restait naturelle, dépourvue de sous-entendus.

— Ah, commentai-je.

— On se dit demain ?

— J'ai envie de passer du temps seul avec toi.

— On fera ça bientôt, Leo.

— Bientôt. Je t'embrasse.

— Je t'embrasse.

Clic.

Je caressai Cicova, qui s'était approché de ma cuisse en toute discrétion. Les chats recherchent toujours le contact physique. Moi aussi.

Je regardai la pendule : 3 h 30.

Gabriele.

Il avait assez d'argent pour payer une pizza à Lilli, celui-là ?

Cette question idiote était un premier symptôme de jalousie.

Moi jaloux ? Mais non, je n'ai jamais été jaloux, je le jure, à part cette fois où Gabriele invita Lilli à dîner avec lui. Ce soir-là. Une soirée de merde. Et puis quelques années plus tard avec Maddalena. Et puis à Rome, dans les années 1990, avec Francesca. Et puis à Milan avec Roberta... Non, je n'ai jamais été jaloux, je le jure.

Je me concentrai sur mon travail : je devais appeler Gaspare Bevilacqua.

Je pris le téléphone gris de l'appartement.

— Allô, me répondit-il d'une voix lente et basse.

Je me présentai et lui demandai s'il avait trouvé la boîte de Stefano.

— Oui, elle était dans le tiroir de ma table de nuit, avec le bicarbonate de soude.

— Avez-vous regardé ce qu'elle contenait ?

— Eh bien, on dirait un numéro de plaque d'immatriculation. Ça commence par PA, et c'est suivi de six numéros. Je vous les lis ?

Je déglutis.

— Oui, s'il vous plaît.

Je pris note et le remerciai.

Je devais courir au journal. Et parler de toute urgence avec le chef de la police judiciaire.

Sur ma Vespa, je repensai aux visages du baron Bruno Capizzi di Montegrano et de Giovanni Vassallo, le galeriste. Aucun des deux ne me paraissait susceptible d'être le commanditaire du meurtre d'un blanchisseur. Ils n'avaient pas le profil. D'autres clients, peut-être, mais je ne les connaissais pas.

Dans quelle histoire sordide Bevilacqua était-il allé se fourrer ? Était-ce vraiment l'assassin de Veruschka ? Je n'en avais aucune preuve, mais le raisonnement se tenait. Il fallait que je fasse vérifier ce numéro de plaque : pourquoi Stefano Bevilacqua l'avait-il caché comme un secret ?

Une fois arrivé au journal, je relatai au rédacteur en chef ma conversation téléphonique avec le frère de la victime, en essayant de développer un peu la piste que ma petite connaissance de la logique et de l'éthique mafieuses me suggérait. Il m'écouta attentivement. Comme ça n'arrivait presque jamais, son attitude me convainquit que j'avais fait du bon travail.

— Les deux affaires n'en seraient donc qu'une seule, résuma Reina en écrasant sa MS dans le cendrier en métal fixé à son bureau.

— C'est la sensation que j'ai, oui.

— Les sensations ne font pas des articles. Explique-moi depuis le début pourquoi il y aurait un lien entre ces deux dossiers.

— Une fille chère à tout Palerme ou presque est défigurée puis tuée. Presque tout Palerme, ça veut dire qu'on peut avoir affaire à n'importe qui, y compris à des parrains attachés à elle. Peut-être que la fille a été assassinée par un cinglé fou d'amour. Un type sans importance. Comme un blanchisseur. La police n'a pas de pistes, et les parrains qui tenaient tant à elle décident de rendre justice eux-mêmes, et de signaler à tout le monde que ce type était un déchet. Ça se tient ?

— Pour tenir, ça se tient. Mais tu as des preuves ?

— Aucune. Enfin, si, un numéro de plaque.

— Tu y travailles ?

— Bien sûr, chef. Et, à part ça, j'écris un papier pour demain matin ?

— En l'état actuel des faits, non. Il nous faut d'autres éléments.

C'était l'après-midi, le journal était déjà en vente. Même si on avait voulu, on n'aurait pas pu donner de nouvelles informations avant le lendemain. En attendant, il fallait finir de reconstituer le tableau. Et, pour ce faire, il fallait passer un accord avec la police afin de connaître l'identité du propriétaire de ce numéro de plaque. J'appelai le chef de la police judiciaire.

— Monsieur Gualtieri ?

— Quoi ?

— Je peux passer maintenant ? J'ai une information pour vous, mais elle doit rester entre nous.

— Quelle information ?

— Je vous le dirai de vive voix. Mais il nous faudrait d'abord passer un accord.

— On verra.

— Mon chef préférerait savoir tout de suite.

Il se tut pendant quelques secondes.

— D'accord. Si l'information est utile, vous aurez l'exclusivité.

Une demi-heure après, j'étais assis dans le bureau d'Antonio Gualtieri, au premier étage de l'édifice situé piazza Vittoria. Je lui racontai mon entretien avec Gaspare Bevilacqua, la découverte de la boîte contenant le numéro de plaque, qu'il nota sur un bloc-notes à spirale posé sur son bureau, une vieille habitude contractée lorsqu'il était un jeune agent de la section vols à main armée. J'omis le reste, à savoir le raisonnement que j'avais exposé à mon rédacteur en chef.

Gualtieri appela l'inspecteur Ermanno Zoller, un de ses hommes de confiance, qui apparut aussitôt sur le seuil.

— Il y a une plaque à vérifier.

— Bien, monsieur. Je vous écoute.

En fin d'après-midi, Palerme devint un marécage tiède. Une pluie furieuse s'abattit sur la ville pendant une demi-heure avant de céder la place à un coucher de soleil incandescent. Les trombes d'eau qui m'arrosèrent durant le trajet en Vespa de la rédaction à chez moi ne parvinrent pas à entamer ma joie : par téléphone, le chef de la police judiciaire venait de nous accorder l'exclusivité.

— Du nouveau, monsieur Gualtieri ?

— On a fait des recherches sur la plaque d'immatriculation.

— Alors ?

— Faudra faire gaffe. C'est une BMW 316 qui appartient à Favazza Girolamo, dit « Gerry ».

Il m'avait décliné l'identité de l'homme :

— Né à Palerme le 2 avril 1958, domicilié 7 via Onofrio Tomaselli.

— C'est dans quel quartier ? avais-je demandé.

— Ciaculli. Pas loin de la via Croceverde. Tu as compris pourquoi il faut faire gaffe ?

Et comment ! Un blanchisseur *incaprettato* à Mafia City détenait le numéro de plaque d'un des mafieux les plus redoutés du quartier. Ce n'était pas une plaque, mais une pièce à conviction.

— Gerry Favazza, c'est un parent de…

— On dirait bien.

— *Minchia*, avais-je lâché. Un parent du Prince ou du Ministre ?

— T'es un peu long à la détente. Si c'est un parent de l'un, c'est aussi un parent de l'autre.

Exact. C'étaient des frères. En cavale tous les deux.

— À part ça, qu'est-ce que vous pensez de cette affaire, monsieur Gualtieri ?

— À part quoi ? On y travaille, c'est tout. Possible qu'on aille leur rendre visite…

— Une perquisition chez les Favazza ? Vous me tiendrez au courant ?

— Oui, et tes collègues aussi. Ce coup de fil vaut pour un accord d'exclusivité.

On avait donc une longueur d'avance : un nom, un prénom et une adresse dangereuse.

Ciaculli avait été le royaume de la mafia victorieuse, celui des Palermitains alliés aux Corléonais de Toto Riina. Au premier rang des Palermitains, il y avait deux frères, Michele Favazza, dit « le Prince », et Salvatore Favazza, dit « le Ministre ». À leur solde, une armée de tueurs dont le plus redouté était un parent éloigné des frères, Pino Favazza, dit « l'Égorgeur de Serpents ». Et ce Gerry, de qui était-il le fils et le neveu ? En quoi sa voiture avait-elle un lien avec la mort d'un blanchisseur de la via Sciuti ?

Je passai la soirée devant la télé avec Cicova sur les genoux, à manger du pain et des fromages blancs Jocca. La maison était vide, entre autres parce que cet enfoiré de Gabriele était en train de dîner avec Lilli. L'idée qu'ils passent la soirée ensemble n'était pas des plus agréables, et je tentai de chasser l'image du poète glissant sa main entre les cuisses satinées de Lilli tout en lui lisant son douzième poème. Cela dit, je n'étais pas si sûr que la drague poétique soit efficace sur elle. La fidélité est aussi une histoire de goûts littéraires. Après plusieurs réflexions aussi idiotes que décousues, je décidai de me concentrer sur *La Chevauchée fantastique*, que je visionnais pour la centième fois. C'était plus fort que moi, j'adorais son happy end. Mais je me suis toujours demandé comment faisait John Wayne pour viser aussi bien malgré les cahots de la diligence sur la piste accidentée. Il tuait un Indien à chaque coup de Winchester. Question idiote : pour John Wayne, rien n'est impossible. Même Cicova le savait, son miaulement me le confirma.

J'allai me coucher. Je n'avais pas envie de m'aventurer dans les labyrinthes de Cortázar. Alors, pour m'endormir, je lus quelques pages de *La Clé de verre*, ce qui m'apprit une autre vérité que je connaissais déjà : Hammett me tenait éveillé, et ça ne changerait jamais. Il me fallait un bouquin plus ardu, plus alambiqué, quelque chose d'intellectuel. Je balayai du regard les étagères de ma bibliothèque, à la recherche d'un gros volume à la tranche blanc et bleu datant de mes années de fac. J'aiguisai inutilement ma vue. Rien. Il aurait fallu que je me lève. Trop fatigant. Je passai en revue de gauche à droite les tranches de tous mes livres, une, deux, trois fois, dans l'espoir de voir apparaître une bande blanc et bleu. Je m'endormis en essayant de me rappeler le titre du bouquin, ma lampe de chevet allumée. À la maison, il n'y avait personne pour perturber le cours de mes obsessions. Je rêvai de Lilli nue sur les rochers d'Aspra. Un bouc aux cornes recourbées était couché à ses côtés. La tête de l'ovin prenait tour à tour l'apparence de Gabriele, du père de Lilli, ou la mienne. Je rêvai aussi du titre du livre. Le songe devint agréable. Mais au réveil j'avais presque tout oublié.

À peine arrivé à la rédaction, j'adressai un bonjour collectif aux rares présents et je me mis à feuilleter frénétiquement le quotidien concurrent : rien sur Gerry Favazza et sa BM. Je le parcourus une seconde fois pour vérifier qu'aucune brève ne m'avait échappé. Toujours rien. Gualtieri avait tenu parole, ses hommes aussi. J'avais encore une journée d'avance.

Le rédacteur en chef me regarda et me dit :

— Détends-toi, aujourd'hui on va bien bosser.

Comme si on n'avait rien fait la veille…

— Il faut que je revoie Bevilacqua au cas où il aurait d'autres choses à me révéler, dis-je en repliant le journal.

Le chef approuva en écarquillant les yeux.

— *Allèstiti !* Tu es encore là, toi ?

Question rhétorique. Évidemment que j'étais encore là, assis devant lui, le journal à la main.

— Emmène Filippo. Je veux de nouvelles photos.

J'appelai sa ligne directe. Ça sonnait dans le vide, il n'était pas encore arrivé. Je jetai un œil à la pendule : 7 h 45. Deux secondes après que j'eus raccroché, l'appareil sonna.

C'était Saro.

— Sansommeil, il y a un type pour toi.

— Ici ou au téléphone ?

— Réponds au téléphone et tu le sauras.

Il aurait pu me dire : *il est en ligne,* mais il avait préféré me l'annoncer par ce détour. Je me souvins d'un aphorisme de l'écrivain Ennio Flaiano, qu'un de mes profs de fac répétait à ses étudiants quand ils n'étaient assez directs dans leur exposé :

« En Italie, la ligne la plus courte entre deux points, c'est l'arabesque. »

En Sicile, n'en parlons pas. Je pensai aux coupoles de Saint-Jean-des-Ermites, au château de la Zisa, à tout le sang maure qui coulait dans nos veines. Chez nous, l'arabesque est une marque déposée. Si Saro avait simplement annoncé : *il est en ligne*, il aurait reçu un blâme. La Sicile est la capitale mondiale de l'allusion, du non-dit, de l'antiphrase, pour que chacun comprenne par lui-même le véritable sens d'un oui, qui souvent est celui d'un non, et la profonde vérité que recèlent les mensonges que l'on s'adresse avec le plus grand respect.

Nous vivons ainsi depuis des milliers d'années, comment les choses auraient-elles pu changer en une matinée ?

Je répondis au téléphone.

— Qui est à l'appareil ?

— Gaspare Bevilacqua. Vous m'aviez dit de vous appeler si je me souvenais d'autres détails.

Sa voix était hésitante. La démarche avait dû lui coûter de gros efforts.

— Vous avez bien fait, je vous remercie. Qu'est-ce qui vous est revenu à l'esprit ?

— Beaucoup de choses. Je préférerais qu'on en parle de vive voix.

— Vous pouvez parler sans crainte sur cette ligne.

— Ce n'est pas la question. J'ai quelque chose à vous montrer.

Un frisson parcourut ma nuque.

— J'arrive. On se voit chez vous ?

— Oui, via Giusti.

— Pouvez-vous prévenir le concierge ?

— Bien sûr.

Clic.

Gaspare Bevilacqua voulait peut-être me montrer des preuves. Mais de quoi ?

Je rappelai Filippo : il était arrivé.

— On sort. Cette fois c'est du lourd.

— Un meurtre ?

— Non, un homme qui parle.

Filippo comprit immédiatement.

— Un joli portrait du monsieur en train de pleurer sur la photo de son frère *incaprettato* ?

— Ne fais pas le con et emporte ton flash.
— Et toi ton stylo. Et ne commence pas à me pomper l'air.
Il éclata de rire.
— On se retrouve en bas.
— OK. Donne-moi deux minutes.

Cette fois, Gaspare Bevilacqua nous fit monter. Il habitait au deuxième étage, sur le même palier que son frère. La lumière du matin qui filtrait à travers les persiennes dessinait des rayures dans le salon, où il nous invita à entrer.

Voyant Filippo sortir les appareils photo de son sac, Gaspare me demanda s'il était vraiment indispensable de prendre des clichés.

Je haussai les épaules.

— Seulement si vous êtes d'accord, bien sûr... On peut n'en prendre qu'un seul.

Il secoua légèrement la tête : c'était un oui sicilien.

— À condition qu'on ne voie pas les photos de mes parents, dit-il en indiquant plusieurs cadres en argent placés sur le buffet.

Dans le plus grand, un homme moustachu de petite taille regardait l'objectif d'un air satisfait en tenant par le bras une jeune fille en robe blanche qui, elle, n'avait d'yeux que pour lui.

— À presque soixante-dix ans, ils sont encore très amoureux, précisa Gaspare. Mon frère avait ce modèle en tête, c'est pour ça qu'il s'est mis dans le pétrin.

— Je ne comprends pas.

— Il était trop amoureux.

Je ne pus cacher mon étonnement. *Pardon, monsieur Bevilacqua, pensez-vous vraiment qu'il existe une juste quantité d'amour ?* aurais-je aimé lui demander.

En cet instant précis, Filippo prit une photo. J'entendis l'obturateur s'ouvrir et se refermer, puis le miroir du viseur claquer. Ce furent les seuls bruits qui suivirent ces mots énigmatiques. L'appartement était plongé dans un silence de mort, comme si Palerme tout entier avait été anesthésié.

— C'était qui, cette fille ?

— Ça me fait honte, mais je vais vous le dire.

Filippo et moi échangeâmes un regard complice.

— Pourquoi avoir honte ? Ça fait partie de la vie…, dis-je, tout en ayant l'impression d'énoncer une ineptie.

Gaspare m'adressa un regard qui confirma cette impression. Il hésita encore avant de reprendre la parole. Puis, d'un trait :

— Mon frère était tombé amoureux d'une *pulla*.

— Pouvez-vous m'expliquer ? demandai-je spontanément tandis que les pièces du puzzle s'assemblaient à toute vitesse dans mon cerveau.

— Il n'y a rien à expliquer. C'était une *buttana*, une fille sans importance quoi. Dans votre journal, vous avez utilisé un mot bizarre, « entraîneuse ».

Télescopage.

Il aimait Veruschka. C'est pour ça qu'ils étaient morts tous les deux.

Filippo prit une autre photo du moment suspendu, rempli d'interrogations, que nous partagions tous les trois. S'il avait pu, même l'appartement aurait posé des questions.

— Vous parlez de Veruschka, n'est-ce pas ?

— Il ne m'a jamais dit son nom. Seulement qu'elle était belle et qu'elle venait d'un pays communiste.

Dans ma tête, les questions fusaient à vitesse grand V. *Si Stefano a tué Vera, est-ce que je peux le demander à son frère ?* était la plus impérieuse. Mais je décidai d'être moins abrupt :

— Monsieur Bevilacqua, savez-vous ce qui s'est passé ?

— Je sais juste qu'un jour mon frère est venu me dire qu'il voulait aller voir la police. Je l'ai regardé comme s'il était devenu fou. Quand je lui ai demandé pourquoi, il m'a répondu qu'il valait mieux que je n'en sache pas trop. Il a ajouté que s'il ne faisait rien justice ne serait jamais rendue. Puis il m'a prié de conserver cette boîte avec le *pizzino*, le petit mot que je vous ai lu.

— Le numéro de plaque d'immatriculation.

Il confirma.

— Il n'a rien fait d'autre ?

Le frère accablé de chagrin se mit à frotter énergiquement ses joues. Nous le regardions sans rien dire. Nous étions sur une crête périlleuse, tout pouvait basculer dans le silence, ou, par miracle, dans un flot de paroles.

Gaspare Bevilacqua jugea probablement que le moment était venu de se libérer d'un poids, ce qu'il fit avec simplicité quand il arrêta de se frotter les joues d'un geste mécanique. C'était à nous, et pas à la police, qu'il voulait révéler ce qu'il savait de la vérité. Pour quelle raison ? J'en avais une vague idée, mais je préférai ne pas m'attarder sur le sujet. En tout cas, à ce moment précis, nous représentions pour lui une forme de justice privée.

Il se lança.

— Mon frère se sentait responsable de ce qui est arrivé à cette pauvre *picciotta* traînée dans la rue à moitié morte. Il a relevé le numéro d'immatriculation. Il m'a dit que c'était une BM. La BM d'un type. Mais il n'a fait aucune déclaration à la police, ni avant ni après.

Stefano ne devait pas savoir à qui appartenait la voiture, sinon il l'aurait dit à son frère quand il lui avait donné le *pizzino*.

— Qu'est-ce qu'il faisait là-bas, en pleine nuit ? demandai-je pour temporiser la révélation.

— Je ne sais pas vraiment. Il guettait sûrement la *picciotta*.

— Il l'attendait en bas de chez elle. Pourquoi ?

— Je ne sais pas. Mon frère était si réservé.

Moi je l'imaginais en train de massacrer Veruschka et de lui jeter de l'acide au visage.

— Peut-être que Stefano voulait se dénoncer et que la BM n'avait rien à voir dans l'histoire…

— Vous seriez allés à la police, vous ?

— Moi oui, répondis-je sans hésiter.

Filippo se contenta de tourner la molette pour tendre la pellicule.

— Pas Stefano. Lui, il ne voulait pas y aller. Peut-être qu'il avait peur de causer des ennuis à mes parents et moi.

— Vous parlez d'ennuis pour vos parents, mais imaginez un peu le chagrin des parents de Veruschka… Votre frère vous a raconté comment il a perdu la tête et pourquoi il l'a frappée et défigurée ?

Je n'avais pas pu réprimer ma question, ou plutôt mon affirmation sous forme interrogative.

— Stefano n'y est pour rien, rétorqua durement Bevilacqua.

— J'ai cru comprendre qu'il s'était confié à vous et vous avait raconté la mort…

— Vous avez mal compris, mon frère voulait que justice soit faite. Il m'a dit qu'il comptait dénoncer le type de la BM. Peut-être qu'il exagérait un peu, pour me prouver que ce n'était pas du *babbìo*, enfin, qu'il ne blaguait pas.

— Alors il connaissait l'identité du conducteur de la BM.

— Grâce à un ancien camarade de classe qui travaille au service des immatriculations, il a retrouvé le nom et le prénom du propriétaire de la voiture. La dernière fois qu'on s'est parlé, il m'a dit qu'il avait téléphoné au gars de la BM. Il m'a raconté que le type l'avait pris pour un fou et qu'il s'était moqué de lui, puis il m'a dit que la fille devait être vengée. Quand je lui ai demandé comment s'appelait le type, il m'a répondu qu'il ne valait mieux pas que je le sache, que le *pizzino* qu'il m'avait donné suffirait… Je ne sais pas ce qu'il avait précisément en tête, s'il comptait aller plus loin. Je n'arrivais plus à le comprendre, mais j'étais sûr qu'il n'avait rien fait de mal.

Deux jours plus tard, Stefano avait été retrouvé mort dans un coffre à Brancaccio.

— Vous pensez qu'il aurait fini par tout raconter à la police ?

— Je ne crois pas. Il a dit ça au type de la BM pour le faire *scantare*, enfin, pour lui faire peur.

— Qu'est-ce qu'il voulait réellement ?

— Je ne sais pas. Il croyait peut-être que l'autre s'en irait tout droit au commissariat pour dire : « Arrêtez-moi, je suis le meurtrier de la *picciotta*. » Un fou.

— Qui ?

— Mon frère.

Gaspare Bevilacqua baissa les yeux et passa une main dans ses cheveux. Il était vidé. Il alla dans une autre pièce et revint avec un objet qui avait l'air d'un livre.

— C'est l'agenda de Stefano, il y notait beaucoup de choses. Les dates des matchs, des réflexions, les factures à régler. Je l'ai trouvé dans son appartement. Vous savez, j'ai les clés… Je l'ai pris avant que la police vienne perquisitionner.

— Vous ne vouliez pas le donner aux policiers ?

Il nous le tendit sans répondre à ma question.

— Tenez, si ça vous intéresse…

C'était un agenda marron, dont la couverture cartonnée portait l'inscription en caractères dorés : *Cassa Centrale di Risparmio V.E.* En dessous, l'année : *1984.*

Je consultai immédiatement les jours précédant et suivant l'homicide de Veruschka. Une note parlait de *personnes qui travaillent à la RAI*, qu'il était question de chercher à Rome, accompagnée du nom de Raffaella Carrà souligné deux fois.

Je continuai de feuilleter l'agenda. Parmi plusieurs noms suivis d'un type de vêtements – sans doute s'agissait-il de clients du pressing –, le mot *pizza* était marqué à 20 h 30, le jour du meurtre de Vera.

Et sur la ligne en dessous : *je le lui dis.*

— Il devait lui dire quoi, votre frère ? demandai-je à Bevilacqua.

— Il voulait lui faire sa déclaration. J'avais essayé de l'en dissuader par tous les moyens. On ne peut pas aimer une *buttana…*

Après une pause, il reprit :

— Paix à son âme.

Puis il baissa à nouveaux les yeux.

Filippo photographia quelques pages, celle avec la note sur la RAI et celle avec le mot *pizza*. Il me demanda s'il devait prendre celles avec les noms des clients du pressing. Je lui répondis que oui, ça pouvait toujours nous être utile.

Nous laissâmes Gaspare Bevilacqua devant la porte de son appartement. Serrant dans sa main l'agenda de son frère, il marmonna en guise de salut :

— Je l'avais pourtant averti…

Ce devait être terriblement difficile de reconnaître la folie de son petit frère et la tragédie qu'il avait causée. À sa place j'aurais peut-être menti aussi, y compris à moi-même. Nous avait-il caché que Stefano avait tué Vera ou nous avait-il dit la vérité ? Je n'étais sûr de rien, je savais seulement que le type de la BM était le rejeton d'une puissante famille mafieuse et que Stefano Bevilacqua et Veruschka avaient été assassinés.

Le ciel était redevenu limpide, l'air à nouveau frais. En chevauchant ma Vespa pour rentrer au journal, je humais Palerme. Il me semblait aspirer les premières senteurs du printemps, ce mélange de fleurs et de fruits mûrs qui marque la venue des mois les plus beaux. Au trente-huitième parallèle Nord, avril n'est pas si cruel, et le désir effréné de vivre prend du sens. Nous voulions savourer pleinement notre jeunesse, résistant à cette chape mortifère qui jour après jour tenterait de nous affecter, de nous inciter à abandonner et à rester immobiles tandis que tout courait inexorablement à sa perte. Pourtant, ce matin-là, même si les mots d'un frère endeuillé résonnaient encore à mes oreilles, j'avais envie de faire des folies, de fêter l'arrivée de la belle saison, de boire, de rire, d'être amoureux, d'aimer Lilli.

Sur la via Libertà, je freinai brusquement. D'une part pour éviter une calèche dont l'allure était décalée par rapport au reste de la circulation, d'autre part parce que j'avais soudain repensé au rire profond de Lilli. Gabriele l'avait-il fait rire ? Fallait-il que je lui téléphone ou que je fasse le guet devant sa librairie en attendant qu'elle sorte ? Je repensai à Stefano Bevilacqua, qui poireautait en vain devant l'appartement d'une fille qui ne l'aimerait jamais. Puis j'imaginai ce moment où il avait été étouffé par la corde tirée par ses pieds repliés dans son dos et liés à son cou, une position antinaturelle au possible. La souffrance d'un homme qui meurt en se transformant en paquet dans un coffre à bagages.

J'avançais à deux à l'heure à côté de la calèche. Derrière, quelqu'un klaxonna.

Filippo me libéra de mon enchantement en me tapotant l'épaule :

— Sansommeil, tu t'es *addummisciuto* ? Réveille-toi, j'aimerais bien rentrer au journal !

Je regardai le cocher avec son costume noir usé et son chapeau défoncé. La banquette pour les clients était en velours rouge sang. Les sabots du cheval claquaient sur le bitume luisant de la via Libertà. Je les doublai. En accélérant, j'aurais voulu laisser derrière moi non seulement la calèche, mais aussi mes vingt ans, et les tentations morbides de cette ville. Mais je me retrouvai dans le bureau de mon rédacteur en chef qui, après avoir écouté mon récit, m'emmena sur-le-champ chez le directeur. Mon avenir se jouait là, maintenant.

— Récapitulons : nous avons une prostituée assassinée, peut-être par un blanchisseur, lequel a été retrouvé *incaprettato* ; nous avons un témoin, le frère du blanchisseur, qui voudrait peut-être disculper son frangin *incaprettato* en accusant par ouï-dire le propriétaire d'une BMW dont nous connaissons l'identité : Girolamo Favazza, dit « Gerry », parent des parrains de Ciaculli. Il me semble qu'il y a beaucoup de peut-être et de ouï-dire dans cette histoire, dit Ettore Grandi en nous fixant, Reina, Filippo et moi.

Rosciglione était resté à l'écart pour ne pas être impliqué dans ce qu'il avait qualifié de « demi-désastre journalistique » en m'entendant raconter les grandes lignes à mon chef.

— Pour le moment, ajouta le directeur, un homme aux manières assez rudes qui inspirait une véritable terreur aux plus jeunes d'entre nous, je n'en ferais pas trop et me contenterais de ne citer que ce qui peut l'être : uniquement les faits dont on a la preuve. Le reste doit être vérifié, et pour ça il faut que la PJ fasse son boulot.

Le rédacteur en chef lui demanda comment on devait procéder pour la première édition.

— Je viens de le dire.

— Qui écrira l'article ?

— Lui, ça va de soi, répondit le directeur en me désignant.

Ne traîne pas, hein ? Et après tu fonceras à la PJ. L'affaire est à toi.

Puis, regardant les autres :

— Il y en a qui ont quelque chose à redire ?

Même Rosciglione secoua la tête.

Peu après midi, je rendis un article qui, tout en restant vague, évoquait un assassin pris de remords et la présence possible d'un mystérieux deuxième homme. Aussitôt fait, je filai à la police judiciaire.

Je bénis ma Vespa. Grâce à elle je pouvais zigzaguer dans le flot de voitures qui semblait tout entier converger vers le palais des Normands et la cathédrale. Je réussis à m'en extirper sous les coups de klaxon, les regards meurtriers des automobilistes et en l'absence d'agents de la circulation. Je mis la Vespa sur béquille à côté d'une Lambretta Macchia Nera et d'une Guzzi Dingo GT, digne représentante des années 1970. Je me dis que j'aurais dû appeler Lilli. Que j'aurais pu appeler Amanda. Mais ces projets de coups de fil restèrent entre mon deux-roues et moi.

Il était une heure moins le quart. En traversant le couloir, au premier étage du petit immeuble construit au XXe siècle qui accueillait les fonctionnaires de police, je remarquai que de nombreuses pièces étaient vides.

Zoller vint à ma rencontre et me toisa sans un sourire.

— Le chef t'attend, ton directeur a dit que c'était important.

Tandis que je me rendais au commissariat, Grandi avait donc téléphoné à Gualtieri pour lui demander de m'écouter avec attention. Le directeur était taciturne, mais il savait comment nous couvrir. J'appris beaucoup de lui, ces années-là. À commencer par le respect pour ceux qui chaque matin s'habillent, sortent de chez eux, font cent mètres à pied et dépensent de l'argent pour acheter un quotidien dans un kiosque. Nous devons le plus grand respect à ces personnes si généreuses envers nous, m'avait-il dit une fois. Jamais un mot que tous les lecteurs ne pourraient pas comprendre, jamais de mensonge.

Devant la porte du chef, Zoller me fit signe d'entrer.

Quand j'ouvris, Gualtieri était au téléphone. Il me montra une des deux chaises devant son bureau.

— … Bien sûr, monsieur le commissaire… Bien sûr, nous y travaillons… Non, il faut encore que nous nous coordonnions avec le Parquet… Bien sûr, je vous tiendrai informé sur-le-champ… Merci. Bonne journée à vous aussi.

Il raccrocha et leva les yeux au plafond.

— Il veut des résultats. Tu sais, les statistiques des affaires non résolues. Veruschka et puis cet *incaprettato*, comme vous l'appelez…

— Je sais que mon directeur vous a prévenu.

Gualtieri donnait toujours l'impression d'avoir mieux à faire que d'écouter ses interlocuteurs. Pour une fois, il fit une exception.

— Oui. Parle.

Je lui relatai mon entretien avec Gaspare Bevilacqua. Je précisai que le photographe était également présent, et qu'il pouvait confirmer les révélations du frère de la victime. Gualtieri acquiesça et écrivit deux mots suivis d'un point d'interrogation sur une feuille à carreaux qui traînait sur son bureau. J'arrivai à les déchiffrer à l'envers, ce qui selon un de mes amis était une qualité indispensable pour réussir, quelle que soit la carrière embrassée. Il avait écrit : *identité photographe* ?

Je demandai à brûle-pourpoint :

— Qu'est-ce que vous comptez faire avec Gerry Favazza ?

— Je vais en parler au Parquet.

— Mandat d'arrêt ?

— Pourquoi ? Possession de BMW ?

— Vous ferez les perquisitions dont vous m'avez parlé ?

— J'espère vraiment que oui. Ensuite, ça dépendra de ce qu'on aura trouvé.

— Qu'est-ce que vous chercherez ?

— Tout ce qui peut le relier à Vera Němĕček.

— Notre accord tient toujours, n'est-ce pas ?

— Oui, affirma Gualtieri en me regardant droit dans les yeux.

— Je vous appelle plus tard ?

— Ce soir. Nous avons besoin d'un peu de temps : domicile, cabinet de l'avocat... On fera ce qu'on peut avec le personnel qu'on a.

— Merci, monsieur. À ce soir.

À peine étais-je ressorti que je consultai ma montre, vérifiai que j'avais toujours des jetons dans ma poche et me précipitai dans la première cabine du quartier : il était 1 h 45, bien trop tard pour refaire mon article de pied en cap.

Saro me répondit à la troisième sonnerie. Je demandai à parler à mon rédacteur en chef, à qui je fis part de mon entretien avec Gualtieri. Puis je m'en remis à lui.

— Mieux vaut ne rien changer et attendre, me dit Reina. Laissons-les travailler. On sortira le feu d'artifice demain.

Je l'aurais embrassé. J'étais crevé, stressé, et je ne rêvais que de rentrer chez moi.

Cicova m'accueillit en se frottant contre mon mollet droit : il avait faim. J'allai à la cuisine et lui ouvris une boîte de riz au thon. Il me jeta un regard de gratitude distraite, caractéristique des chats et des femmes dont on ne devrait pas être amoureux. Je me laissai tomber sur mon lit comme si c'était mon nouveau paradis artificiel : je fermai les yeux et me sentis hors de l'espace-temps, aussi léger que Jimi Hendrix sur la scène de Woodstock. Je n'eus même pas le temps de retirer mes Clarks avant de sombrer dans un sommeil qui ressemblait à un évanouissement, sur fond de « Star Spangled Banner ».

La sonnerie du téléphone me tira de mon coma. Avant de répondre, je regardai autour de moi pendant un temps interminable, en essayant de comprendre d'où venait cette alarme incendie. Le tintamarre ne cessa que lorsque, réalisant enfin ce qui se passait, j'ouvris le Grillo.

— *Attìa*, Sansommeil…

Saro.

— *Attìa*, répéta-t-il. Tu dormais pour de vrai ?

— Pas du tout, j'élaborais une stratégie pour me faire embaucher par le journal.

Il rit puis m'informa que le chef voulait me parler :

— C'est peut-être pour t'embaucher…

— *Vatastala*, va te la toucher, Saro.

Il riait encore quand il me passa Reina.

— Tu sais qu'il est 5 h 30 ?

Je balbutiai quelque chose, puis assurai à mon rédacteur à chef que les perquisitions n'auraient bientôt plus de secrets pour nous.

— Ils perquisitionnent à la fois au domicile et au cabinet, brodai-je. Tu sais comment sont les juges…

— Non, ils sont comment ?

— Oh! c'était juste pour…

Je voulais seulement continuer de dormir. Reina dut sentir quelque chose. Il recracha la fumée de son énième MS et conclut :

— Bon, on se tient au courant quand Gualtieri t'aura donné des nouvelles.

J'essayai inutilement de me rendormir. Je me disais qu'il était 5 h 30, qu'il fallait que je repasse au siège de la police judiciaire, que je prévienne Filippo de se tenir prêt, que j'appelle Lilli, que je casse les cornes à Gabriele même si c'était peut-être moi le cocu, mais à Palerme les cocus ce sont toujours les autres, les méchants, les mal intentionnés. Et donc le cocu, me répétai-je, c'était lui, pas moi. Bref, mes pensées étaient décousues et ma conscience ressemblait à un milk-shake.

Tandis que j'essayais de comparer mon existence à ce breuvage imbuvable, on frappa à la porte de ma chambre.

— Entrez, dis-je.

Le cornard apparut dans mon champ de vision.

— Salut, j'ai entendu que tu étais au téléphone. Je te dérange ?

— Non, mentis-je.

À moitié évanoui, je le toisai de bas en haut depuis ma position couchée. Son corps grand et maigre appuyé contre l'encadrement de la porte était emballé dans un pyjama de chasseur alpin : caleçon long en laine avec braguette à boutons à moitié ouverte, T-shirt gris-vert qui suppliait de passer à la machine.

Je voulais qu'il sorte de ma vue.

Il lança :

— Ce soir, c'est moi qui cuisine. On va manger tous ensemble, chouette, non ?

Comme si ça faisait une heure qu'on papotait chaleureusement entre copains.

Je m'assis.

— Qui, tous ?

— Toi, Fabrizio, Serena… Lilli et moi.

Comment ça, *Lilli et moi* ? Ça voulait dire quoi, *Lilli et moi* ?

Je rêvais qu'il se fasse embarquer sur-le-champ, que les flics l'accusent de crimes immondes, et lui mettent les fers pour l'emmener au pilori.

— OK, dis-je. Tu disais : nous… *Lilli et toi.*

— Super !

Super quoi ? Je m'emparai du Grillo et, tirant à fond sur le fil en spirale, je l'agitai devant lui pour lui faire comprendre que j'avais un appel urgent à passer. Je devais avoir l'air d'un cinglé.

— Pardon, dit-il pour échapper à cette situation. À ce soir, alors.

— Ouais, à ce soir, marmonnai-je en faisant semblant de composer un numéro.

Il regagna sa chambre, laissant derrière lui un sillage malodorant.

J'avais envie d'appeler Lilli et de lui crier : *Quoi, Gabriele et toi ? Gabriele et toi, QUOI ?*

Par chance, un sursaut de dignité me fit renoncer. De toute façon, le monde était rempli de Lilli, non ?

NON, LE MONDE N'ÉTAIT PAS REMPLI DE LILLI, mais de crétins. J'en avais un au bout du fil, qui me répétait en boucle, avec son accent du Nord indéfini :

— M. Gualtieri n'est pas disponible, il est occupé pour le moment.

Sans blague. Je n'y étais pas pour rien si Gualtieri était occupé. Comment faire comprendre à cet agent qu'il fallait que je parle urgemment à son chef ? Je brûlais d'avoir une réponse à une question très simple : Favazza était-il déjà en prison à l'Ucciardone ou non ?

Le crétin se décrétinisa enfin et me passa le chef de la police judiciaire :

— Voilà, il s'est libéré.

Je ne savais pas quoi espérer : que Bevilacqua ait menti ? Ou qu'il ait dit la vérité et que Favazza soit vraiment mouillé ?

— On le recherche, dit Gualtieri avant que j'aie pu le saluer. Il a pris la poudre d'escampette. Ils aiment bien se planquer, dans cette famille.

— Qu'est-ce que vous avez trouvé ?

— À Ciaculli, rien du tout, à part un fusil et trois carabines, tous déclarés. En revanche, la perquisition du cabinet de maître Friscia, dans la via Sammartino, là où Favazza faisait son stage, nous a réservé une jolie surprise…

Une jolie surprise ? À quoi jouait Gualtieri ?

— Quelle surprise, monsieur ?

— Tu te souviens du collier de pierres rouges ?

Moi, oui. Mais se souvenait-il, lui, qu'il s'était moqué de moi quand je lui en avais parlé ?

— Oui. Cadeau des parents de Ver…

— Il était dans le coffre-fort du cabinet.

— *Minchia !* Vous savez qui l'a mis là ?

— Ils étaient trois à connaître la combinaison : l'avocat, le jeune Favazza, qui est le fils d'amis de la famille de l'avocat…

— *Famille* au sens normal ou au sens mafieux ?

— On s'informe sur la question… On pourrait avoir d'autres jolies surprises.

— Et le troisième ?

— *La* troisième : la secrétaire, Rosetta Uguccione, qui est aussi, en passant, la maîtresse de Friscia. Une quadra bien en chair, qui s'entête à porter des minijupes en dépit du bon sens, précisa Gualtieri, qui semblait avoir besoin de partager son point de vue.

— Et ?

— Et, au terme d'une pression psychologique polie mais efficace, elle nous a gentiment ouvert le coffre-fort de l'avocat, ce qui nous a permis de récupérer le collier et quelques notes contenant des noms qui ont été envoyés à la Crim.

— Que voulez-vous dire ? Des complices de Favazza ?

— Des complices de ses parents, peut-être.

Le tableau n'était pas encore complet, mais il prenait forme, disculpant le blanchisseur amoureux. Favazza tue Veruschka, il cherche protection auprès de sa famille et s'adresse aussi à maître Friscia, déjà lié à la *cosca* dirigée par ses parents. On lui conseille de s'éclipser. Mais je ne m'expliquais toujours pas la mort de Bevilacqua : avait-il été puni pour sa tentative de chantage ? Avait-il été tué pour brouiller les pistes, comme un lièvre jeté en pâture aux loups ?

— Monsieur, vous avez compris, vous, quel rôle Bevilacqua a joué dans tout ça ?

— Celui du mort.

— Merci…, répondis-je, nerveux.

— Lorsqu'on a trouvé le collier, la secrétaire s'est décidée à appeler maître Friscia, qui a accouru. Quand il est tombé sur nous, sur le coffre-fort ouvert et sur le collier qui se balançait doucement au bout du doigt de Selvaggini, il a fait une tête que mes agents palermitains ont définie comme une tronche de *pigliato dai turchi*. Littéralement, ça veut dire attrapé par les Sarrasins, mais on utilise cette expression pour décrire les gens qui sont complètement babas. Elle tire son origine de…

— Je connais, merci, l'interrompis-je.

Aux dernières nouvelles, de nous deux c'était encore moi le Sicilien.

— Bon, eh bien, Selvaggini a qualifié l'avocat de *pigliato dai turchi*. Au début, il a dit qu'il ne savait pas d'où sortait ce collier, qu'il n'avait pas ouvert son coffre-fort depuis très longtemps… Il l'a juré par tous les saints. Jusque-là, on n'avait pas parlé des papiers qu'on avait trouvés avec le collier. Ils listent les noms des membres de l'organisation régionale de la mafia, la *cupola*… Tout va s'éclaircir.

— Et à propos du collier ?

— Il nous a confirmé que la secrétaire, Favazza et lui étaient les seuls à connaître la combinaison. Quand on lui a dit que l'heureux propriétaire du collier risquait perpète, il a changé de couleur et sa maîtresse lui a avancé une chaise. Il a compris qu'il était dans la mouise jusqu'au cou, alors il a demandé à appeler un avocat. J'adore quand les avocats demandent un autre avocat…

— Et pas de nouvelles de Favazza, donc.

— Non, mais sa photo se balade sur les pare-soleil de pas mal de voitures de patrouille.

— Et maître Friscia ?

— Maintenant, il fait partie de l'enquête. Il nous dira demain quel rôle il veut jouer : témoin, complice…

Je le remerciai et lui demandai, au nom de notre accord, d'être avare de détails sur ces perquisitions avec les autres journalistes.

— Par exemple, l'histoire du collier…

— Tu crois que j'ai oublié ?

— Quoi ?

— Que c'est toi qui m'as brisé les cacahuètes avec ce collier ?

Je souris. Gualtieri était un type bien.

— Alors ce collier n'existe pas pour les autres ?

— Quel collier ? Je ne comprends pas de quoi tu parles.

Il eut un bref rire guttural puis raccrocha.

Le Grillo était léger entre mes mains. Tout me semblait léger. Même ce cocu de Gabriele s'était transformé en angelot.

Pour la première fois, je décidai d'appeler le directeur. Puis je me ravisai : c'était le meilleur moyen de gagner l'inimitié éternelle de mon rédacteur en chef et de son adjoint. Doublés. Snobés. Oh là là, surtout pas ! Je téléphonai donc à Reina, qui était encore au journal, et lui répétai tout. Y compris le fait que l'histoire du collier était une exclusivité pour nous.

— Et Favazza ? me demanda-t-il.

— Ils le recherchent. Mais je crois que l'avocat, Friscia, donnera des infos.

— Bien. À demain matin. On écrira tout ça, conclut Reina.

Je refermai le Grillo.

À présent, je me sentais assez fort pour affronter la cuisine de Gabriele, archange cornu, et surtout mes retrouvailles avec Lilli.

Appartement de Veruschka, 23 h 15

VERA REGARDA LA PENDULE.

— Laisse-moi aller m'habiller, j'ai un quart d'heure pour me transformer en Veruschka.

Le garçon recula d'un pas. Elle avait retrouvé de la contenance depuis que, après son deuxième *non*, il s'était jeté sur elle, l'avait fouillée de ses mains et avait essayé de la lécher.

— Ce soir, tu restes avec moi, déclara-t-il en coupant la musique.

Le silence s'abattit sur la pièce.

— Non, je t'ai dit. Je dois aller au travail.

— On va se mettre ensemble et tu ne devras plus jamais travailler.

Vera lui répéta ce qu'elle avait dit peu avant au gentil garçon.

— Je veux aller à Rome, travailler à la télévision. Je suis désolée…

Elle tendit une main caressante vers son visage.

Il s'écarta brutalement et dit d'un ton dur :

— Arrête et mets-toi à poil.

— Non, s'il te plaît. Tu me plais, mais…

— Mais quoi ?

— Je ne suis pas amoureuse de toi.

Elle repensa au *non* qu'elle avait déjà prononcé précédemment. Non seulement cette soirée ne tournait pas rond, mais elle était glauque.

La première gifle la prit par surprise, un coup de feu dans une rue déserte.

Bang.

Le visage de Vera s'empourpra, davantage sous l'effet de la colère que du coup reçu.

— *Co tu kurva ?* Qu'est-ce que tu fous ? Comment oses-tu ?

La seconde gifle, administrée avec le dos de la main, atterrit sur sa pommette droite. Celle-là lui fit mal.

Vera recula en hurlant :

— Va-t'en !

Il la regarda. Oh, elle était belle. Mais elle ne devait pas crier. Il prit un torchon et le pressa sur sa bouche. Elle mordit le tissu et essaya de le frapper pour échapper à son emprise. Le garçon était fort et il voulait qu'elle se taise. Elle continua de crier, mais des cris étouffés, des sortes de glapissements.

Il avait envie de la prendre comme ça, avec le torchon dans la bouche. Mais elle ne voulait pas. Elle poussa, ou plutôt essaya de pousser un nouveau cri. *Quelqu'un risque de l'entendre et d'appeler la police.* Cette peur le décida à lui donner un coup de poing violent, un crochet du droit, au visage. Juste pour la faire taire.

Vera tomba, sa nuque heurta la table basse, mais elle ne s'évanouit pas. Le sang imprégna le tissu et se mit à goutter de sa bouche. Pour la première fois, son regard exprimait une rage frustrée : elle voulait se venger, le frapper. Elle se dit qu'il ne s'arrêterait pas et tenta de se relever, le goût ferreux du sang dans la bouche. Ses jambes étaient molles. Ses jambes, d'habitude si fortes, si belles quand elles se croisaient derrière le dos des hommes qui l'aimaient, étaient en coton.

Le garçon allait la frapper à nouveau. Il brandit le bras, Vera ferma instinctivement les yeux et leva une main pour se protéger. Le coup s'abattit avec une violence terrible. Elle sentit sa mâchoire craquer. Son visage n'était plus qu'un amas de chair sanguinolente à la forme indéterminée. Elle fit usage du peu de force qui lui restait pour ouvrir une dernière fois ses yeux noisette, regarder cet homme et lui demander dans un râle :

— Pourquoi ?

Il enchaîna les coups ; de la droite puis de la gauche, méthodiquement, toujours au visage, et, après chaque coup, il lui répondait, sur un ton monocorde :

— Parce que je t'aime et que tu m'appartiens.

Noyé dans sa propre violence, le garçon qui voulait devenir avocat glissait sur une pente dangereuse où les fautes deviennent absolues, où il n'y a plus de place pour les justifications. À sa façon, il aimait Vera et voulait la sauver. Le problème, c'est que Vera ne voulait pas être sauvée. Et, ça, c'était inacceptable. En la frappant de ce geste mécanique, il pensa qu'avec elle sa vie aurait été parfaite : trois enfants, la nationalité italienne, elle aurait appris la recette typique du *timballo di anelletti*, et puis les fêtes avec les autres avocats du cabinet, et la fierté d'avoir une femme si belle et si intelligente qui participe aux affaires de la famille...

Non. Elle avait dit non. Elle avait dit aussi qu'elle ne l'aimait pas.

Et elle était si sexy quand elle l'avait dit.

Il baissa les yeux vers elle. Elle était défigurée mais reconnaissable. Il approcha son visage et entendit un souffle lent, une plainte qui ressemblait à un murmure.

Peut-être qu'elle avait perdu connaissance. Peut-être pas. Au cas où, il lui envoya un coup de pied qui lui cassa trois côtes. C'était un bon joueur de foot, on le lui avait toujours dit dans son lycée privé. Il la regarda à nouveau. Cet amas de sang et de morve était encore beau, trop beau. *Elle pourrait recommencer à travailler au Lady Jim*, se dit-il.

Hors de question. Elle devait changer de vie.

Il se rendit à la cuisine, ouvrit le placard sous l'évier et chercha des yeux un produit qui se trouvait dans toutes les cuisines siciliennes. Une bouteille en plastique blanc, avec un pictogramme représentant un crâne et des tibias croisés. Le futur avocat eut envie de rire : le drapeau des pirates. *Ce sera nous, les corsaires. Nous gagnerons et raflerons tout.*

Il regagna le séjour, s'approcha de Vera, lui retira délicatement son collier de grenats, qu'il fit glisser dans la poche de son pantalon beige taché de sang, et versa doucement l'acide sur son visage. Il entendit la peau corrodée grésiller.

Vera n'émettait plus un son, on n'entendait plus rien, si ce n'est l'écoulement de l'urine provoqué par le relâchement des sphincters. Il répétait son mantra en versant l'acide :

— Je t'aime, je t'aime, je t'aime.

Il resta longtemps à regarder le corps, qu'il croyait être un cadavre. Il n'éprouvait pas de regrets, juste un peu de honte pour tout ce désordre. L'adrénaline lui faisait encore croire que son acte était juste, naturel. Mais Vera Němeček n'était pas tout à fait morte. Un souffle de vie subsistait quelque part en elle, et il ne le savait pas. Il voulait l'emmener loin des restes de pizza, de cet appartement déprimant qui n'avait pas été celui de leur amour, et que le connard de tout à l'heure avait souillé de sa présence. Il regarda la pendule : il était presque 2 heures. Il décida de descendre Vera dans la rue : quelqu'un la trouverait et l'enterrerait. Lui, il avait fait tout ce qu'il avait pu.

Il abandonna brutalement le corps sur le trottoir, sans s'apercevoir que Vera respirait encore, faiblement. Il ne s'aperçut pas non plus que, caché entre deux voitures garées, un homme l'observait depuis le trottoir d'en face. Un homme qui n'eut pas le courage de traverser, de le frapper et peut-être de la sauver, mais préféra rester tapi et mémoriser la plaque de la voiture avec laquelle l'assassin partait. Un homme qui s'éloigna à pas rapides dans la nuit, sans prendre la peine de vérifier si la fille qu'il disait aimer était encore en vie. Un homme qui, en marchant, se répétait le numéro de la plaque, pour oublier sa lâcheté. Et, tandis qu'il accélérait le pas jusqu'à courir, cet homme se disait que l'assassin ne s'en sortirait pas comme ça. *Non, monsieur, je vais le lui faire payer, à ce salaud... Parce que tout se paye dans la vie.*

— SERENA, TU Y VAS ? cria Fabrizio de sa chambre.

Elle referma son livre et se dirigea en soupirant vers l'entrée. Gabriele fut plus rapide. Il la doubla dans le couloir et ouvrit la porte.

Dans la catégorie des beautés qui s'ignorent, Lilli était la reine. S'il avait existé un concours récompensant la fille la plus belle et la moins prétentieuse, elle aurait remporté le premier prix. Je l'observai qui s'avançait dans le couloir : elle n'était même pas maquillée. Pour quoi faire, d'ailleurs ? Quand la nature vous donne des joues couleur pêche, des lèvres dessinées par Vermeer, des yeux d'un bleu innocent dans lesquels plus d'un poète aurait pu sombrer, L'Oréal et compagnie peuvent aller se rhabiller.

Moi, j'étais en train de chavirer dans cette mer bleue. Lilli était ma condamnation et ma peine à expier. Cette fille qui avait partagé plusieurs mois de ma vie venait d'embrasser Gabriele sur la joue sur le pas de la porte. Elle s'éloignait de moi. Et lui s'était sapé pour l'occasion : un pull qui ne lui arrivait pas au nombril, un pantalon piqué à un migrant, des chaussures sans lacets. C'était jour de fête, il avait dû se laver. Quoique. Dans sa main, il tenait le petit carnet noir où il consignait ses pensées quand il flânait en ville, en bus ou à pied.

En entrant dans le salon, Lilli me lança un regard, mais elle se contenta d'un sourire en guise de bonjour.

— Alors, comme ça, ce n'est pas toi qui as cuisiné ce soir ? me demanda-t-elle.

— Hello, Lilli.

Je me levai pour l'embrasser, ses lèvres effleurèrent négligemment ma joue gauche. Je ne sentis quasiment pas son baiser sur ma peau. Peut-être qu'on s'était manqués d'un millimètre. Elle portait une de ses minijupes plissées et un pull léger en laine, couleur turquoise pâle. Rien à dire, elle avait un talent inné pour les choix vestimentaires.

— Gabriele a tenu à préparer le repas, répondis-je.

Je mis un trente-trois tours de Chet Baker sur le tourne-disque. Face A, premier morceau : « My Foolish Heart ».

Her lips are much too close to mine, beware my foolish heart.

« Ses lèvres sont trop près des miennes, prends garde, mon cœur imprudent. »

La voix de Chet était une caresse mortelle. Pour en identifier la victime parfaite, il m'aurait suffi d'avoir un miroir. J'étais encore à l'âge où l'on fait des déclarations d'amour à travers les chansons. Un âge que je crains de n'avoir jamais quitté.

Indifférente au message de « My Foolish Heart », Lilli alla saluer Serena. On aurait dit des anciennes copines de lycée qui se retrouvent par hasard en première année de fac après trois ans de haine réciproque. Pendant ce temps, Gabriele finissait de mettre le couvert.

Fabrizio sortit de sa chambre et s'exclama d'un air enjoué :

— Salut mes *picciottelli* chéris !

Je m'étais préparé à tout. Ou presque.

Gabriele apporta le premier plat sur la table : des spaghettis froids agrémentés d'olives en boîte. Par bonheur, elles étaient dénoyautées.

— Je les ai préparés cet après-midi, c'est une recette que j'ai inventée, très méditerranéenne. Du blé et des olives, les deux mamelles de notre civilisation.

Il regarda autour de lui en quête d'une appréciation qui, comme par hasard, vint de Lilli.

— Excellente idée ! dit-elle avec enthousiasme.

Fabrizio, Serena et moi nous servîmes avec une parcimonie prudente. Gabriele remplit l'assiette de Lilli en la regardant dans les yeux, quelques pâtes tombèrent sur la nappe, d'autres finirent sur le pull turquoise de Lilli, qui rit nerveusement. Il ne s'aperçut de rien. Fabrizio et moi échangeâmes un regard entendu tandis que Serena jouait avec ses pâtes froides et collantes.

Gabriele et Serena parlèrent des transports publics de Palerme, leur ville d'adoption. Pour ce qui le concernait, j'espérais qu'il s'agissait plutôt d'un accueil temporaire. Il fit l'éloge du circuit aléatoire des bus. Selon lui, le fait que rien ne soit programmé, ni les horaires ni les parcours, était un signe évident de la divinité du lieu. J'opposai un argument de bon sens qui n'eut aucun succès. Personne ne réussit à finir les spaghettis, pas même le chef.

Le plat de résistance était constitué de maquereaux à l'huile que Gabriele avait achetés à la Vucciria, où on les vendait dans d'énormes bidons à un prix dérisoire. Il apporta également dix citrons coupés en deux qui s'accordaient au rose pâle des filets de poisson. Le pain, que Serena était allée chercher à la boulangerie située à l'angle de la via Dante et de la via Antonio Veneziano, était excellent. Le vin blanc d'Alcamo, servi à la température idéale, nous permit d'avaler les tartines un peu filandreuses de maquereau. Le repas était sauvé.

Tout le monde adressa des félicitations mensongères au cuisinier.

Il reçut les compliments comme s'ils émanaient de quatre versions de Lilli : la tendre, la sexy, la maternelle et la folle. La version folle, c'était moi. J'étais fou de rage. Il attendait quoi de moi et de Lilli, ce con ? De moi, sûrement pas grand-chose, conclus-je en sirotant mon troisième verre de blanc. De Lilli, ce n'était pas difficile à imaginer.

La conversation glissa sur Goethe. À Palerme, pour peu qu'il y ait des Italiens du continent autour de la table, beaucoup de dîners s'achèvent sur Goethe et sur sa vision de la ville. Serena raconta qu'elle avait feuilleté en librairie un livre d'un écrivain anonyme, intitulé *Lettres d'un Sicilien*, publié par une élégante maison d'édition palermitaine. C'était une relation de voyage datant du XVIIe siècle envoyée par l'auteur à un ami, sans doute sicilien lui aussi. Il y décrivait la beauté et la richesse de Paris, qui a toujours été une ville phare pour de nombreux Siciliens.

— Leonardo Sciascia aussi aime Paris, dit Fabrizio. Je crois que c'est la seule ville où il envisage de vivre s'il devait un jour quitter la Sicile…

Gabriele cita les titres des premiers livres de Sciascia pour finir par avouer qu'il ne les avait pas lus. En revanche, il avait vu le film où Franco Nero jouait le capitaine des carabiniers. Serena leva les yeux au ciel, Lilli chercha les miens et Fabrizio commença à débarrasser.

Nous nous vautrâmes sur le canapé pendant que Gabriele préparait le dessert, un joint à trois feuilles avec de l'herbe autochtone qu'il s'était procurée je ne sais où. Lilli s'assit à côté de moi, et mon cœur devint bête en sentant la chaleur de son corps. Nous étions sortis ensemble pendant des mois, mais je n'avais jamais mesuré l'effet qu'elle me faisait. Je commençais à comprendre combien l'habitude faussait notre perception. La vie qui m'attendait, et surtout les erreurs que je commettrais les années suivantes, devait me le confirmer.

Lilli et moi parlâmes de tout et de rien, de la librairie, de l'été qui n'allait pas tarder à arriver, des films qu'elle avait vus. J'évitai de lui poser des questions sur sa soirée en tête à tête avec Gabriele. Soudain, elle me demanda :

— Comment s'est terminée l'histoire de la prostituée ?

— Bien. Euh, pas bien… enfin… c'est pas fini…, balbutiai-je.

Je ne m'y attendais pas. Ou alors j'étais tout simplement épuisé par la tension de la rédaction, les conversations avec Gualtieri, l'indécision de l'avocat, la mort horrible de Vera, l'agonie de l'homme dans le coffre, l'assassin en cavale… Tout tourbillonnait dans ma tête. Sans compter la chaleur de Lilli assise à côté de moi, après avoir fait les yeux doux à Gabriele. J'étais sous l'eau, en combinaison de plongée, agrippé à un rocher recouvert d'anémones de mer en train de guetter, fusil Medisten à harpon au poing, des bancs de poissons qui ne passaient jamais. Je n'étais pas en mesure de parler, j'étais en pleine ivresse des profondeurs, risquant la mort euphorique des plongeurs. Tu es sous l'eau, l'azote de tes bouteilles te met en état de narcose avant que ton instinct de survie ait eu le temps de t'inciter à remonter. Ton cerveau a reçu des messages contradictoires, et même joyeux : l'ivresse des profondeurs est une réaction chimique produite par une hypocrisie biologique.

Et moi j'étais sous l'eau, abandonné sur le canapé de notre appartement. Le cœur débordant d'une ivresse idiote, je regardais les yeux bleus et profonds de cette fille qui n'attendait pas grand-chose de moi, si ce n'est un peu de tranquillité et, peut-être, un amour réciproque. C'est du moins ce que j'espérais.

— Je ne veux pas qu'on se quitte, Lilli. Aujourd'hui j'ai beaucoup réfléchi.

— À quoi ?

— Par exemple, j'ai compris que je suis un imbécile.

Elle me regarda comme un intrus, une orange dans un tiroir à chaussettes. Mais elle décida de me sourire, et m'effleura la main. J'interprétai ce geste comme une trêve. Je ne mourrais donc pas bêtement agrippé à ce rocher tapissé d'anémones de mer. À présent, je pouvais remonter à la surface.

À MON RÉVEIL, la maisonnée dormait encore. Le radio-réveil annonçait 5 h 34. J'aurais pu me reposer un peu plus si l'adrénaline de la veille ne m'avait pas empêché de me détendre complètement. Mon court sommeil avait été rempli de rêves étranges : je me rappelais avoir entendu ma voix lire tout haut le début de l'article qu'il me faudrait écrire une fois que maître Friscia aurait choisi son camp. Gerry Favazza l'assassin en cavale d'un côté, le blanchisseur au triste sort de l'autre. Quelle voie prendrait l'avocat ? Celle du témoin utile ou du complice silencieux ? L'infamie de la trahison ou le chemin respectable de l'Ucciardone ? En réalité, la vraie question était de savoir de quelle marge de manœuvre disposait Friscia étant donné ses rapports avec la famille mafieuse de Gerry Favazza.

Incapable d'y répondre, je repris la lecture du roman de Hammett. Toujours la même histoire. Le personnage se retrouvait face à un dilemme : rompre avec le milieu de la pègre ou y rester ? Stop. Je refermai le livre et m'en allai au salon. Je coiffai mon casque Sennheiser et mis *Wish You Were Here* sur la platine en poussant le volume de l'amplificateur au maximum. Le son de la guitare de « Shine on You Crazy Diamond », qui explosa dans mes oreilles, eut un effet cathartique. J'étais prêt à me rendre au journal.

Quand je franchis le seuil de la rédaction, il n'était pas encore 7 h 30. Reina était déjà là. Sur son bureau, les quotidiens du matin étaient froissés, signe qu'il les avait déjà épluchés. Je me suis toujours demandé si l'insomnie fait partie des qualités requises pour être chef. Je savais que le directeur se faisait livrer l'ensemble des journaux à domicile, vers 5 heures du matin. En deux heures, il tout avait lu, tout souligné, et arraché les pages qui serviraient pour les articles qu'il nous commanderait une fois arrivé à la rédaction, après 7 heures. Vu que j'étais plutôt du genre insomniaque, j'avais une certaine foi en l'avenir.

Sans même me saluer, le rédacteur en chef me fit signe de prendre un des cafés que, comme tous les matins, le serveur du bar avait apportés sur un plateau en métal. Il était froid, serré, et tellement dense qu'il était impossible d'en adoucir le goût. Même en y versant deux sachets, le sucre serait resté un corps étranger flottant à sa surface. J'acceptai avec un sourire et bus d'un trait cet ignoble condensé amer.

— Maintenant on peut se mettre au boulot, lança Reina. Pour commencer, appelle ton ami Gualtieri.

Je regardai la pendule : 7 h 41.

— J'attends encore une vingtaine de minutes, dis-je en allant m'asseoir à mon bureau. Je vais jeter un œil au journal.

Le quotidien du matin mentionnait de façon confuse une hypothétique évolution de l'enquête sur l'homicide de Veruschka. Il évoquait une perquisition sans en donner les résultats. Gualtieri avait tenu parole.

— Je t'écoute ! dit le chef de la police judiciaire d'un ton étrangement joyeux.

— Les nouvelles sont bonnes ?

— La nuit porte conseil.
— À l'avocat ?
— Disons que vers 5 heures l'avocat de la défense nous a fait comprendre qu'en échange d'un accord avec le Parquet Friscia pourrait nous raconter des trucs.
— Vous avez pu contacter le Parquet ?
— La justice ne dort jamais. À 6 heures, Friscia s'est mis à table.
— Qu'est-ce qu'il a raconté ?
— Il est encore en train de parler dans la salle d'interrogatoire. La loi sur les repentis a désactivé le verrouillage centralisé…
Gualtieri adorait les métaphores techniques.
— Vous pouvez me dire ce qui est ressorti de ces deux premières heures ?
— Il a raconté qu'un matin en feuilletant le journal il a commenté à voix haute le meurtre de Veruschka, un truc du genre : « Il faudrait réhabiliter la peine de mort. » Favazza, qui était dans les parages, l'a entendu. Quand la secrétaire a quitté la pièce, le jeune s'est approché du bureau de l'avocat et lui a dit qu'il avait une info sur cette affaire.
— Quelle info ? demandai-je.
— Friscia a posé la même question à Favazza, qui lui a répondu : « On m'a donné le nom de l'assassin de Veruschka. » L'avocat lui a demandé s'il avait des preuves. Favazza a dit que c'était inutile car le meurtrier avait été vu la nuit en train de tirer le corps dans la rue. Puis il a balancé le nom de Bevilacqua. Le sort du blanchisseur était scellé.
— De quelle manière ?
— Tu sais bien comment ça marche, à Palerme. Cette *mezzaparola,* comme vous dites, cette demi-info, Friscia a dû la ressortir au bon endroit, peut-être même devant les parents de Favazza. Et le couperet de la justice mafieuse s'est abattu sur Bevilacqua : le type a été *incaprettato* et désigné comme *déchet.*

— Mais pourquoi Gerry Favazza n'a pas directement donné son nom à sa famille ?

— Parce qu'une info qui sort de la bouche d'un avocat a plus de valeur, surtout quand on parle d'un mystérieux témoin oculaire qui a vu un type traîner le corps. Friscia rendait l'histoire plus vraisemblable.

— Vous avez parlé de justice mafieuse…

— Veruschka était très appréciée dans certains milieux. Selon une source, il y avait des parrains puissants parmi ses clients… À Palerme, on ne tue pas impunément une fille qui travaille pour le bien de tous, pas vrai ? Les parrains ont dû se dire que celui qui avait fait ça méritait un châtiment public.

J'avais vu plutôt juste, mais c'était une maigre consolation : la mort absurde de Bevilacqua me révoltait.

— Et le véritable coupable s'en est tiré…

— Pas si sûr.

— Pourquoi ?

— Je suis convaincu qu'on l'attrapera bientôt.

— Qu'est-ce qui vous fait dire ça ?

— Intuition de flic. À mon avis, sa famille l'a lâché.

Il raccrocha.

Je bondis jusqu'au bureau du rédacteur en chef, éclairé par un rayon de soleil matinal, pour lui raconter mes trouvailles.

Le printemps était arrivé et j'avais de quoi écrire un bel article.

Avant de glisser une feuille dans le chariot de mon Olympia, je composai le numéro de Lilli. Elle me répondit d'une petite voix. Je l'avais sûrement réveillée.

— Bonjour, ma jolie.

— Salut, Leo… Tu sais quelle heure il est ?

— Oui, mais je voulais te révéler un scoop. Je suis journaliste, ou pas ?

En deux minutes, je lui dressai le tableau complet de la situation. Puis je lui parlai de moi, d'elle, de la vie qui était merveilleuse. Elle écouta en silence, emportée par mon flot de paroles. Nous avions à peine plus de vingt ans et nous étions encore pleins d'illusions.

Surtout elle.

PARQUET

TRIBUNAL DE PALERME

Direction sectorielle antimafia

N° 274/91. R.G. DÉNONCIATIONS DE DÉLITS,
Direction sectorielle antimafia

Procès-verbal d'interrogatoire
de personne soumise à une enquête
art. 64 C.P.P.

Le dix mai de l'année mille neuf cent quatre-vingt-onze à onze heures et dix minutes, dans un bureau de la Police nationale dont l'adresse ne sera pas mentionnée pour des raisons de sécurité, M. Salvatore SGROI, dont les coordonnées sont indiquées aux actes, a comparu devant le Ministère Public représenté par Mme Nunzia FRESCANI et M. Gianmatteo LO VOTO, en présence de M. Roberto SCIOGLINO et du Sgt Giuseppe CAVALLO de la Police Judiciaire de Palerme.

Me Lucia SANSONE, avocate au barreau de Palerme, est également présente, en qualité de conseil.

Après avoir été informé que la loi l'autorisait à s'abstenir de répondre, M. SGROI déclare ne pas vouloir user de ce droit.

Homicide de Domenico LORIZZO

Je souhaite répondre car je suis animé d'une volonté sincère de collaborer avec la justice.

En ce qui concerne l'exécution du délit, j'affirme avoir assisté par hasard à celle-ci, à une période où je me cachais en Amérique du Sud. J'ai vu Giovanni SAVASTA et Giuseppe PIDDICO à bord de deux gros scooters, portant des casques et des bleus de travail. Je les ai vus descendre de leurs véhicules, entrer dans un bar, puis tirer des coups d'arme à feu. Après avoir tué LORIZZO, les deux hommes se sont éloignés.

Me FRESCANI demande dans quel pays d'Amérique du Sud il a séjourné.

Je m'étais caché dans la ville de Rionegro, dans la région d'Antioquia, en Colombie.

Me FRESCANI demande s'il a rencontré d'autres Siciliens recherchés par la justice et, si oui, de lui en communiquer l'identité.

J'ai fait la connaissance de Girolamo FAVAZZA dit « Gerry », qui là-bas se faisait appeler Tony Sapatas, lors d'une rencontre avec des trafiquants de cocaïne colombiens. Dans la ville de Medellín, FAVAZZA était devenu le référent du cartel mexicain de Sinaloa.

Mme FRESCANI interrompt l'interrogatoire pour demander au Sgt CAVALLO d'établir la situation de FAVAZZA.

Le Sgt CAVALLO atteste brièvement que FAVAZZA fait l'objet depuis 1984 d'un mandat d'arrêt international pour homicide volontaire aggravé de sévices et cruauté à l'encontre de Vera Němĕček.

Mme FRESCANI demande à M. SGROI de rapporter les propos de FAVAZZA lors de leur rencontre.

Girolamo FAVAZZA alias Tony Sapatas a immédiatement compris que j'étais palermitain et combinato.

Il m'a entraîné un peu à l'écart et m'a salué. Il ne m'a pas révélé son vrai nom, mais je l'ai reconnu car des journaux siciliens avaient publié sa photo plusieurs années auparavant. Je savais qu'il faisait partie de la cellule de Ciaculli-Giardini et qu'il avait été canziato, *mis au vert, à la suite de l'homicide dont il était accusé. Je lui ai fait comprendre qu'il n'avait rien à craindre de moi. Il m'a offert à boire comme s'il était le patron de l'établissement où la rencontre se déroulait. On n'a pas parlé des affaires siciliennes qui nous concernaient, mais de la vie en Colombie, où il se faisait appeler* Maître Sapatas. *Je me souviens qu'il m'a dit que sa famille l'avait expédié à l'autre bout du monde parce que lui, à Palerme, il avait expédié une* pulla *dans l'autre monde.*

Pardon pour la crudité du terme, mais c'est celui que FAVAZZA a employé, et je me rappelle qu'il l'a prononcé en riant.

Ensuite, il a proposé qu'on trinque ensemble.

À treize heures et quarante minutes le présent procès-verbal s'achève ainsi que l'interrogatoire, renvoyé à une date à confirmer.

Lu, approuvé et signé.

REMERCIEMENTS

Je dois l'idée initiale de ce roman à Piero Grasso, ancien procureur antimafia de la République, qui m'a fait il y a quelques années le récit d'une affaire survenue au début des années 1970, alors qu'il était un jeune substitut du procureur à Palerme. Un matin, une prostituée célèbre dans toute la ville avait été retrouvée assassinée et, malgré les efforts de Grasso, l'affaire était difficile à résoudre. La police judiciaire tourna en rond pendant plusieurs semaines, et réussit seulement à découvrir que certains parrains étaient eux aussi attachés à cette prostituée. L'affaire semblait donc condamnée à l'oubli jusqu'à ce que, quelques mois plus tard, la police reçoive un appel téléphonique lui indiquant la présence d'un cadavre dans la rue. L'enquête montra qu'il s'agissait de l'assassin de la prostituée. Piero Grasso et les enquêteurs en conclurent que la mafia avait voulu leur faire un *don* pour rétablir ce redoutable principe ancestral : à Palerme, seule Cosa Nostra peut administrer la justice.

La mafia voit, pourvoit, et punit.

Piero Grasso me raconta cette histoire pour me donner une idée de la situation de notre ville au début des années 1970. Je lui dis que, pour avoir travaillé aux faits divers pendant la seconde guerre de la mafia, j'en avais une vision assez claire.

Mon premier remerciement va donc à Piero Grasso pour le travail qu'il a réalisé – avec l'aide d'un grand nombre de collègues extrêmement méritants – afin que l'administration de la justice en Sicile revienne là où elle doit être, c'est-à-dire entre les mains de l'État.

Je remercie également Roberta, ma femme, qui s'est passionnée pour cette histoire dès le premier instant, mes enfants, Luigi, Carlo et Giorgio, Rita, ma mère, et Gianna, ma sœur, Chiara Melloni et Luisa Pistoia, qui suivent mon travail avec amitié et intérêt, Laura Donnini et HarperCollins pour avoir cru à ce projet, Ilaria Marzi, qui en peu de temps s'est taillé une place de choix dans mon affection et mon estime professionnelle. Un grand merci aussi à Antonio Calabrò, Sveva Alagna, Alfredo Rapetti, Francesca Bertuzzi, Fabrizio Zanca, Antonella Romano et Michele Turazzi pour leur aide et leurs précieux conseils.

Je remercie enfin le quotidien *L'Ora* de son existence et de m'avoir appris beaucoup de ce que je sais.

Et, comme mille autres fois dans ma vie, j'exprime ma gratitude d'être né à Palerme.

Composé et édité par HarperCollins France.

Achevé d'imprimer en mars 2018.

La Flèche
Dépôt légal : avril 2018.

Pour limiter l'empreinte environnementale de ses livres, HarperCollins France s'engage à n'utiliser que du papier fabriqué à partir de bois provenant de forêts gérées durablement et de manière responsable.

Imprimé en France